INNEN WACHSEN, AUSSEN HANDELN

Prozessbegleitung in und
mit der Natur

Impressum

© 2015 AGJF Sachsen

Redaktion: Hendrik Hadlich, Anke Miebach-Stiens, Andrea Scholz

Autoren: Reto Bühler, Kai Dietrich, Joseph Eder, Karina Falke, Dr. Hans Geißlinger, Hendrik Hadlich, Holger Heiten, Andreas Joppich, Damian Jörren, Dr. Robert Kozljanič, Prof. Dr. Ulrich Lakemann, Dr. Geseko von Lüpke, Mandy Merker, Susann Riske, Andrea Scholz

Fotonachweise: Für die Tagungsdokumentation sind Fotos der „geh-wachsen"-Alpenüberquerung 2013 des Walden e.V. verwendet wurden

Fotografien: Agnieszka Partyka

Cover-Gestaltung/Satz/Illustrationen: Sandra Hähle

Lektorat: Sabine Reichelt

Herstellung und Verlag: BoD – Books on Demand, Norderstedt

ISBN: 978-3-7347-9425-4

Einleitung

Hintergründe

Praxis

Into the wild – Einleitung

Andrea Scholz und Hendrik Hadlich

„Leben ist der Beruf, den ich ihn lehren will.
Aus meinen Händen entlassen wird er – und ich bin damit ein-
ver-standen – weder Beamter noch Soldat, noch Priester, er wird
in erster Linie Mensch sein."
(ROUSSEAU, 1762)

Die hier vorliegende Dokumentation wurde erstellt für die Fachtagung „Into the wild – innen wachsen, außen handeln" der AGJF Sachsen e.V., die vom 09.–13.12.2013 im Tagungshaus Grillensee in Sachsen stattfand. Die Fachtagung setzte sich auseinander mit der Verantwortung und den poten-tiellen Handlungsoptionen als Lern-, Erziehungs- und Bildungsziel für Pädagog_innen, Prozessbegleiter_innen und Menschen, mit denen diese arbeiten.

Ausgehend von den Ergebnissen der Workshops und Foren der ersten internationalen Tagung, die sich hauptsächlich mit Haltungsfragen der Prozessbegleitung in und mit der Natur beschäftigte, diskutierte der Vorbereitungskreis in Sachsen die Bedeutung prozess-begleitender und erfahrungsorientierter Programme in der Natur für die Gesellschaft.

Kritische Stimmen unterstellen erlebnispädagogischen und prozessbeglei-tenden Angeboten mitunter eine zu starke Fokussierung auf das Individuum. Wird in diesem Zusammenhang von Wachstums- und Entwicklungsprozessen gesprochen, kann es zu unterschiedlichen Interpretationen dieser Begriffe kommen. So schreibt Astrid H. Krezsmeier: „Die vorherrschenden Ideen von Wachstum sind Schlüssel zu Wohlstand und Entwicklung, aber glei-chermaßen zu Ausbeutung, Maßlosigkeit und Wettkampf geworden. Die mit ihm verbundenen Attribute ‚schneller, mehr, besser, erfolgreicher, ver-netzter, gesehener, einflussreicher etc.' haben wir seit langem internalisiert." (Krezsmeier, 2011).

Aus unseren praktischen Prozessbegleitungen wissen wir, wie viel leichter es Menschen jeden Alters fällt, konkrete Handlungen und Vorhaben zu artikulieren, auch Proteste und Aktionen sind konkreter zu formulieren, als Kontakt zu den inneren Werten, Bedürfnissen und Leitbildern dafür aufzunehmen.

Diese Erfahrung kommt ganz wunderbar in dem Untertitel der Fach-tagung zum Ausdruck: *innen wachsen.*

Geht man jedoch zu den Ursprüngen der modernen Erziehungstheorien zurück, stellte schon Rousseau die Fragen „Wie erziehen wir?" und „Wohin erziehen wir?" In seinem handlungstheoretischen Werk „Emile oder Über die Erziehung" verwies er auf die Wechselwirkung zwischen Individuum, Erziehung und Gesellschaft. In Rousseaus Erziehungsansätzen stand die Herausformung einer neuen, wahrhaft menschlichen Gesellschaft immer im Vordergrund (vgl. Rousseau, 2010). Auch für Kurt Hahn, einen der Gründerväter der Erlebnispädagogik in Deutschland, stellte d ie Verantwortungsübernahme des Einzelnen in der Gesellschaft ein Leitziel seiner pädagogischen Programme in der Natur dar. Adornos „Erziehung zur Mündigkeit" impliziert mehr noch die Vorstellung von der politisch teilhabenden, ihr Leben aktiv und aus Einsicht gestaltenden, freien und reifen Persönlichkeit, die die Herausforderungen unserer komplexen Welt annehmen kann.

Erziehung als Prozess der politischen und gesellschaftlichen Teilhabe zu verstehen und dafür Verantwortung zu übernehmen, ist der Theorie der handlungs- und erfahrungsorientierten Lernansätze somit immanent. In der Praxis stellt sich jedoch oft die Herausforderung, dieses Lern-, Erziehungs- und Bildungsziel umzusetzen.

Die Fachtagung „Into the wild – innen wachsen, außen handeln" wollte hier Anregungen und Impulse setzen. Dazu wurden Methoden und Arbeitsweisen der Prozessbegleitung und des handlungsorientierten Lernens in verschiedenen Ländern betrachtet, die auf die Stärkung von persönlichen Potentialen und globaler, ökonomischer, ökologischer und sozialer Verantwortung abzielen.

Neben dem Erfinder des Story Dealings und Mitentwickler der Methode der strategischen Inszenierungen Dr. Hans Geißlinger konnten unter anderem der Journalist und Visionssucheleiter Dr. Geseko von Lüpke, der

Sozialwissenschaftler Prof. Dr. Ulrich Lakemann von der FH Jena und der Philosoph, Autor und Trainer der Erwachsenenbildung Dr. Robert Kozljanič für Vorträge rund um das Thema gewonnen werden.

Der hier vorgelegte Band legt in seinem ersten Abschnitt „Hintergründe" einen Fokus auf Hauptvorträge der Tagung und gibt im zweiten Teil „Praxis" einen Einblick in die Inhalte und Perspektiven einiger Workshops und Foren zum Thema „innen wachsen, außen handeln".

Über die Autor_innen

Andrea Scholz
Bildungsreferentin der AGJF Sachsen e.V., Chemnitz
Dipl.-Sozialpädagogin/ Sozialarbeiterin (FH)
Supervisorin (DGSV)
Mastercoach
Psychodramaleiterin
seit 1991 Leiterin des Geschäftsfeldes Fort- und Ausbildung
verantwortlich für das Netzwerk Erlebnispädagogische Prozessbegleitung Sachsen

Hendrik Hadlich
Walden e.V. , Chemnitz
M.A. Politikwissenschaft, Philosophie, Geschichte
Initiatischer Prozessbegleiter® (Eschwege-Institut)
Erlebnispädagogischer Prozessbegleiter (AGJF Sachsen)
Ropes Course Trainer (ERCA)

Erziehung zur Mündigkeit
Mit initiatorischer Arbeit innere Potentiale entfalten

Dr. Geseko von Lüpke

K lassische Schulpädagogik geht immer noch davon aus, dass Wissen und Persönlichkeitsentwicklung die Folge von schulischer Wissensvermittlung sind. Daraus entsteht meist eine ‚Bewahrungs-Pädagogik' nicht aber eine, Bewährungs-Pädagogik'. Die initiatorische Arbeit verortet sich in einer Pädagogik, die davon ausgeht, dass in jedem Menschen Potentiale angelegt sind, die es zu entfalten gilt. Der Vortrag skizziert die jüngsten neurologischen Erkenntnisse zur Potentialentfaltung und zeigt auf, wie die initiatorische Grenzerfahrung der Erziehung zur Mündigkeit dient.

Wer sich heute als LehrerIn, als PädagogIn oder SozialpädagogIn für initiatorische Arbeit in der Natur interessiert, will in den seltensten Fällen seine Schutzbefohlenen aus dem ‚modernen' Bildungssystem der Gegenwart herausreißen und statt dessen in einen exotischen Sinnkontext verpflanzen, der möglicherweise aus der Steinzeit stammt. Wer von dem Ansatz hört, junge Menschen durch einen einsamen Rückzug in die Wildnis zu begleiten, ahnt vielmehr, dass es sich hier um einen uralten Ansatz handelt, junge Menschen durch eine Grenzerfahrung über sich hinauswachsen zu lassen.

Doch wer derartig zeitlose potentialentwickelnde Methoden in das heutige Bildungssystem integrieren will, muss sich im Rahmen der pädagogischen Diskussion erklären können. Wo gehören diese Ansätze, die – wieder einmal – das klassische staatliche Schulsystem überwinden wollen, in einer aktuellen Diskussion hin? Welche Rolle können solche herausfordernden Erfahrungsräume – sich allein in der Wildnis den Schatten der eigenen Persönlichkeit zu stellen, sich widrigen Bedingungen auszusetzen, freiwillig zu hungern – im immer leistungsorientierteren Ausbildungs-Rennweg der Gegenwart spielen? Sind sie nicht der krasse Kontrapunkt zu einem Schulsystem, das letztlich alles dafür tut, angepasste, hochspezialisierte junge Menschen auf einen globalen Arbeitsmarkt zu werfen, in dem immer extremer konkurriert wird? Initiatorische Arbeit in der Natur scheint dem Weltbild, das dem konventionellen Schulsystem zu Grunde liegt, zu widersprechen! Doch widerspricht nicht längst das konventionelle Schulsystem dem, was die Zukunft von der nachwachsenden Generation braucht? Geht es überhaupt weiterhin um die Tradierung jenes konventionellen Denkens, das uns in den Schlamassel der Gegenwart, in Sinnkrisen, ökologische Notlagen und in soziale Engpässe geführt hat?

Der initiatorische Ansatz der vorindustriellen, ja, vielleicht sogar vorzivilisatorischen Kulturen stammt aus einer Zeit, in der es noch keine Schulen gab, in der Menschen das umfangreiche Wissen über Pflanzen, Tiere, Spuren, die Regeln der Natur, die eigenen kulturellen Traditionen im nachahmenden Spiel und im täglichen Leben lernten.

Lernen – wir tun es seit Jahrtausenden, jeden Tag, von morgens bis abends. Doch wie es funktioniert, darüber wird fast genauso lange schon gestritten: Wir lernen im Spiel, wir lernen gar ganz von alleine, weil der Mensch neugierig ist von Natur, sagen die einen. Wir lernen nur unter Druck, wenn wir müssen, denn der Mensch ist ein faules Luder, meinen die Anderen.

Wir lernen im Tun, beharren die Einen, im Anfassen, Ausprobieren, aktiv und erfahrend, individuell und exemplarisch. Lernen ist Leben selbst. „Wenn ich das Kind einfach in Kontakt sein lasse mit der Wirklichkeit und mit sich selber, dann lernt es," sagt die Pädagogin Gaby Stefan sogar: „Im Dialog, in der Auseinandersetzung mit der Wirklichkeit tut sich was, verändert sich was und das ist Entwicklung und Lernen."

Schöne Illusion, erwidern die Anderen: Wissen muss abgepackt, eingetrichtert und reingepaukt werden, damit es ‚sitzt' – und bei Gelegenheit hervorgekramt werden kann. Und damit es funktioniert, braucht es demnach jemanden, der sagt, „wo es lang geht", braucht es Einrichtungen mit Tafeln und Bänken, die Wissen vermitteln und Reife prüfen. Und tatsächlich: Wenn wir an Lernen denken, fällt uns zuerst die Schule ein. Jene Institution, die zum Lernen erfunden wurde und immer noch meint, sie hätte das Lernen erfunden. Eine Einrichtung, die wie kaum eine andere mit Erwartungen belastet, mit Kritik eingedeckt und seit Jahrzehnten scheinbar erfolglos reformiert wird.

Lernen ist Schule, Schule ist Lernen. Und jeder muss da scheinbar durch – egal wie viel Leiden es hervorruft. Worum es in der Mainstream-Pädagogik geht, ist ‚Anpassungswissen' statt ‚Gestaltungswissen'. Doch in einer Welt, die sich in rasanter Geschwindigkeit wandelt, wird das Paradigma der Anpassung immer fragwürdiger. In einer Welt, die im Rahmen ihrer rationalen Logik fast einem suizidalen Programm folgt, ist ein ‚Weiter wie bisher' sogar in höchstem Maße gefährlich. Wer die Dynamik dieser Pädagogik ändern will, muss sie, ihre Geschichte und das dahinter liegende Paradigma zuallererst verstehen, um es ändern zu können

Wir sind alle durch die Schule gegangen, haben dort in bis zu 90.000 Stunden etwas gelernt, von dem wir das Meiste inzwischen wieder vergessen haben. Haben gelitten, geflucht, uns widerwillig angepasst und es mit Sehnsucht nach den Ferien irgendwie hinter uns gebracht. Weil es scheinbar schon immer so war, haben wir unsere Kinder in die gleiche Mühle geschickt und dabei möglicherweise übersehen, dass Lernen schon viel früher anfängt. Spätestens im Moment der Geburt. Greifend, erkennend, nachahmend. Schritt für Schritt. Mit gewaltigen Erfolgen haben wir uns die Welt zu eigen gemacht, haben gelernt, uns in ihr zu bewegen: robbend, krabbelnd, laufend. Haben auf Dinge gezeigt, Symbole gefunden, Sprache gelernt. Gebaut, gebastelt, experimentiert: ohne LehrerInnen, Noten, Zeugnisse. Akzeptiert man diese Dynamik des Lebenlernens, dann wird deutlich, dass unsere staatlichen Schulen eine künstliche Einrichtung sind, die ein Kind oder auch einen Jugendlichen aus den Lebenskontexten, in denen er ist, herausnehmen. Die Schule kappt die direkten Erfahrungen, die das Kind macht und setzt die Kinder unter eine Glasglocke.

Rund 150 Jahre ist die Pflichtschule alt, historisch also eine noch junge Einrichtung. Und fast ebenso lange gibt es Widerstand gegen autoritäre, hierarchische Lehrmethoden, gegen Notenzwang und Konkurrenzdruck, gegen stures Pauken, Auswendiglernen und lebloses Faktenwissen. „Reformpädagogen" nannten sich die Pioniere, die vor 100 und mehr Jahren versuchten, die Lernfabrik Schule dem Leben zu öffnen. Sie setzten auf Spiel und Neugierde des Nachwuchses und wollten das Lernen wieder verbinden mit Erfahrung, mit Praxis, mit Freiheit und Selbstbestimmung.

Die Frage nach dem Huhn und dem Ei ist auch in der Pädagogik weiterhin offen: Müssen wir unsere Kinder nach dem Prinzip der Mastgans abfüllen mit Wissen, Regeln, Formeln, Gesetzen und Umgangsformen, um sie für das Leben zu wappnen? Oder geht es vielmehr darum, ihnen mögliche Hindernisse aus dem Weg zu räumen, um ihre eigenständige Entwicklung zu einzigartigen Individuen möglich zu machen? Ist der junge Mensch mit anderen Worten ein unbeschriebenes Blatt, ein unprogrammierter Computer oder ein Wunder an Fähigkeiten, die es zu entwickeln gilt?

Der Streit ist fast so alt wie das Lernen selbst. Und die jeweiligen Haltungen zur Methodik des Lernens basieren auf unterschiedlichen Weltbildern. Wenn man ein eher pessimistisches Menschenbild hat, dann ist der Mensch von Natur aus weniger gut und man muss eben alles tun, um ihn auf den guten Weg zu bringen. Da herrschen dann eher sehr stark dirigistische Formen vor, weil man das Böse unterdrücken will. Während jene Menschenbilder, die eher eine optimistische Auffassung haben, dann eher davon ausgehen, dass man dem Menschen bei seiner Entwicklung helfen kann, dass nämlich das Gute im Menschen ent-wickelt werden soll. Und das impliziert natürlich, dass man seiner Eigenaktivität, seiner Selbststeuerung und Selbstbestimmung im Sinne einer Potentialentfaltung Freiraum gibt. Von solchen Grundüberzeugungen hängen dann letztlich natürlich auch die einzelnen Lern- und Unterrichtsschritte ab.

Schon in der Wiege unserer Kultur – bei den alten Griechen vor 2500 Jahren – gab es all die Positionen, um die heute noch auf jedem Lehrerkongress gestritten wird. Platon sprach vom Lehrer wie von einer Hebamme, die das, was da ist, ans Licht heben müsse. Und er stritt sich heftig mit den Sophisten, die das Gegenteil ver-muteten. Der Sophist sagt, dass den Menschen alles gelehrt werden kann. Er hielt den Mensch für eine knetbare Masse, die beliebig manipulierbar ist. Platon sagt: Nein, das kann ich nicht, denn der Mensch kommt im Grund immer schon mit etwas auf die Welt, aus dem heraus er sich entwickeln will. Platons Schüler Aristoteles schließlich sagte: Der Mensch muss sich zwar auch aus sich heraus entwickeln, aber der Schlüssel zu seinem Leben ist die Zuwendung zur Welt. Und diese Zuwendung geschieht in der Erfahrung. Erfahrung ist die Grundlage des Lernens. Das Hin und Her ums Lernen zieht sich – über den Behaviorismus und die Reformpädagogik – bis in die Gegenwart. Heute stehen wir vor einer Situation, in der die

Beharrungskräfte einer konservativen Pädagogik immer noch den schulischen Mainstream prägen, der Kinder mit Lerninhalten abfüllt, während die moderne Wissenschaft längst die reformpädagogischen Ansätze favorisiert, die auf die individuelle Potentialentfaltung jeweils einzigartiger junger Menschen baut.

Verkürzt ließe sich sagen, dass die konventionelle Wissensvermittlung an Schulen am ehesten einer ‚Bewahrungs-Pädagogik' gleicht: Wissen wird nach einem vorgegebenen Schema F tradiert, um relativ stromlinienförmige Individuen hervorzubringen, die möglichst passgenau in das Nachfrage-Schema für Arbeitskräfte der industriellen Wachstumsgesellschaft passen. Dem gegenüber steht das offene Lernfeld der verschiedenen reformpädagogischen Ansätze, in dem sich die im jungen Menschen angelegten Potentiale ausdrücken, messen und durch Versuch und Irrtum entfalten können. Hier ließe sich im Gegensatz zu einer ‚Bewahrungs-Pädagogik' am ehesten von einer ‚Bewährungs-Pädagogik' sprechen: Das Individuum lernt exemplarisch an herausfordernden Aufgaben, für die es eigene Lösungswege kreativ und mit innerer Begeisterung erprobt, kooperativ austauscht, und eigenständig umsetzt – ohne von der Angst gelähmt zu sein, etwas ‚falsch' zu machen und für eigene Lösungsansätze mit schlechten Noten bestraft zu werden.

Wo ist in dieser historischen Situation die initiatorische Arbeit verortet? Rein geschichtlich kommen die Einrichtung der Schule und das Werkzeug initiatorischer Prozesse aus zwei verschiedenen Zeitaltern. Die Initiation – die bewusste Gestaltung von Lebensübergängen und rituellen Bestätigungen eines vollzogenen Wachstumsschrittes – kommt aus alten, indigenen, meist schriftlosen, traditionellen und vor-industriellen Kulturen. Sie diente kulturübergreifend dazu, junge Menschen an der Schwelle zum Erwachsensein durch eine herausfordernde einsame Schwellenzeit, eine Art Bewährungsprobe oder Prüfung zu schicken, in der sie alle ihre physischen, emotionalen, psychischen und spirituellen Potentiale nutzen mussten, um am Ende von der sozialen Gemeinschaft bestätigt zu bekommen, in Folge als vollwertige(r) Erwachsene(r) mit allen Rechten und Pflichten anerkannt zu werden. Das klingt zwar nach ‚Reifeprüfung', meint damit aber ganz etwas anderes als die Reproduktion auswendig gelernter Antworten auf Leistungsfragen aus der Kultus- und Schulbürokratie. Diese bestätigt ‚Funktionieren', keinesfalls aber ‚Reife'.

Und Übergänge? Der moderne Mensch geht nicht weniger durch die existentiellen Übergänge des Lebens als seine Vorfahren in grauer Vorzeit. Ganz unabhängig davon, ob wir statt an Steinwerkzeugen heute mit Tastaturen, Maus und Flachbildschirm hantieren, sind die Brüche im Leben die gleichen geblieben: die Veränderungen in Selbstbild und Identität während der Pubertät, des Erwachsenwerdens, der Lebensmitte, in Alter und Tod als die einzigen sicheren Lern- und Wachstumsstationen im Lebensweg.

Doch wir schlingern und schleudern auf der Reise durch das Rad des Lebens, das wir fälschlicherweise für eine gerade Rennstrecke für ewig Jugendliche halten. Während die individuelle menschliche Seele wie seit Jahrtausenden das in ihr angelegte Potential in Reife und Alter immer mehr zum Ausdruck bringen will, hat sich unsere Gesellschaft einem Jugendwahn verschrieben, der nur noch faltenfreie Gesichter in hochdynamischen Berufen anerkennt. Während die Psyche nach Transformation durch Grenzüberschreitung sucht, bietet die Gesellschaft fast keine Bewährungsproben mehr an. Wer sich wandeln will und Barrieren überwindet, wird dafür von der Gemeinschaft nicht mehr anerkannt und gefeiert, sondern macht seinen Mitmenschen Angst und verunsichert sie. Wer sich entsprechend konformistisch gegen den Ruf der Seele stemmt und den risikoreichen Wachstumsimpuls unterdrückt, wird zum Opfer der ganz alltäglichen Depression, die einen Großteil unserer Mitmenschen beherrscht – mit allen Symptomen von nicht vollzogenen Übergängen. Der zunehmende Konsum von ablenkenden Suchtmitteln, der wachsende Bedarf an Therapien und die massenhafte Verschreibung von Psychopharmaka sind dann nur noch massenhafter Ausdruck der Folgen verpasster Wachstums-Chancen.

Während zu allen Zeiten menschlicher Kulturentwicklung rund um den Planeten Übergangsrituale gefeiert wurden, um die Wachstumsphasen in der Entwicklung jedes Individuums zu unterstützen und zu bestätigen, hat sich die moderne westliche Kultur von dieser Tradition verabschiedet. Außer kaum mehr wirksamen kirchlichen Zeremonien zu Kommunion, Konfirmation, Heirat und Begräbnis gibt es keine gestalteten Übergänge mehr. Weil persönliches Wachstum nicht mehr anerkannt wird, ist es häufig zum persönlichen ,Ego-Trip' geworden, anstatt der sozialen Gemeinschaft und ihrer nachhaltigen Stabilität zu dienen. Der Mangel an gestalteten Übergängen hat dazu geführt, dass wir in einer infantilen, verantwortungslosen, nicht länger mit den Kreisläufen der Natur verbundenen Kultur leben, die einem unreflektierten kindlichen Konsumwahn folgt. Statt Reifung zu würdigen, feiert sie die 'ewige Jugend' und entwertet Alter und Älteste. Aus dieser Grundhaltung sind Generationenkonflikte erwachsen, die Weitergabe von geistigen Traditionen und kulturellen Werten erschwert und die Begleitung von Menschen in Lebensübergängen durch die jeweils ältere Generation fast unmöglich gemacht worden.

Bildungseinrichtungen, die tatsächlich 'nicht für die Schule, sondern für das Leben' ausbilden, müssten also Bewährungsproben entwickeln und kultivieren: Erfahrungsräume dafür anbieten, wie die in jedem Leben sicher auftretenden Wachstumskrisen individuell und einzigartig bewältigt werden können. Initiatorische Arbeit gliedert sich hier also – trotz der Verwurzelung in einem anderen Zeitalter als die modernen Schulen – in die Tradition der potentialentfaltenden Reformpädagogik ein. Darin verändert sich ihre Wirkung.

Fraglos geht es in der modernen Welt, wo längst keine Stammeskultur dem Einzelnen mehr dabei hilft, sich in der Welt zurechtzufinden, darum, das Individuum in der Entfaltung all seiner persönlichen Potentiale zu unterstützen. Der Mensch – isoliert in der globalisierten Welt – muss erkennen, als wer er oder sie *gemeint* ist. Deshalb geht es bei Übergangsritualen heute nicht mehr – wie in grauer Vorzeit – um die Initiation in eine *soziale Gruppe*. Vielmehr geht es um einen Prozess der 'Individuation'. Dies aber nicht im Sinne des 'krassen Individualisten' und 'einsamen Helden' nach der Mythologie des 'Wilden Westens', sondern im Sinne einer *Individuation, in der man zu dem Menschen wird, der man wirklich ist*. Tatsächlich sind moderne Initiationsrituale vor allem als pädagogisch-therapeutische Hilfen zur Bewältigung von Wandlungsprozessen von Bedeutung. Sie sind Schritte auf dem Weg zu sich selbst. Doch Menschen, die einen Wandel kreativ meistern und neue *adäquate und authentische Muster des Wahrnehmens und Handelns entwickeln,* kehren nach Abschluss des Rituals wieder in ihre soziale Gemeinschaft zurück und verändern sie, weil sie sich verändert haben. Sie sind bereit, als Partner/Partnerin, Vater/Mutter, Berufstätige oder Älteste eine Rolle auszufüllen, für die sie bislang nicht reif waren. Indem Übergangsrituale

Reifungsprozesse bestätigen, ermöglichen sie, den persönlichen Wandel des Einzelnen auch in die Gesellschaft hinein zu tragen. *Sie tragen damit zur Reifung der Gesellschaft als Ganzes bei.*

Indem der initiatorische Prozess die Potentiale jedes Einzelnen herausarbeitet, bestätigt und stärkt, macht er die TeilnehmerInnen unabhängiger von der Bestätigung durch andere. Übergangsrituale haben damit einen *emanzipatorischen Charakter.* Indem sie persönliche Integrität stärken, befreien sie von Abhängigkeiten von Sekten, Fundamentalismen oder politisch radikalen Gruppen. Indem sich Menschen in sich selbst verwurzeln, brauchen sie keinen falschen Rückhalt mehr, der sie in Abhängigkeit und Kontrolle erstarren lässt. Damit befreit das Ritual im besten Fall auch aus der Abhängigkeit von Konsum, der immer damit zusammenhängt, die Darstellung der eigenen Persönlichkeit über die Produkte zu definieren, die man kauft, besitzt und vorzeigen kann.

Indem Übergangsrituale sich zentral mit Lebensübergängen und ihrer Bestätigung beschäftigen, ermöglichen sie den TeilnehmerInnen, ihr *Leben in Entwicklungsstufen* wahrzunehmen. Dazu gehört die Beschäftigung mit der gegenwärtigen Lebenssituation, die Ausrichtung auf die Potentiale des Wandels und die ehrliche Auseinandersetzung mit den psychischen Anteilen, die bislang einer Entfaltung angelegter Potentiale im Wege standen. Im rituellen Prozess hat der Einzelne die Möglichkeit, den Kampf mit der eigenen Lebensgeschichte, mit den Mängeln und Unzulänglichkeiten zurückzustellen, *anzuerkennen, was ist,* und von da aus bisherige Grenzen zu weiten und zu überwinden, und die darin liegenden schöpferischen Potentiale zu erkennen und anzuerkennen. Damit entsteht eine *neue Identität,* die Licht und Schatten anerkennt und im besten Fall integriert.

Im Gegensatz zu den Naturvölkern, für die das Leben in der Natur eine existentielle Selbstverständlichkeit war, kann es für den modernen Menschen darum gehen, einen Schritt zurückzugehen und sich erst einmal wieder als Naturwesen zu erfahren. Indem die TeilnehmerInnen eines Übergangsrituals ihre technologische Überlegenheit und all die Hüllen, mit denen sie sich vor der Natur schützen, ablegen, erleben sie sich als natürliche Wesen unter anderen Naturwesen. Angesichts der Tatsache, dass die Entwicklung eines nachhaltigen ökologischen Lebensstils zu den wichtigsten Aufgaben gehört, die in diesem Jahrhundert vor uns liegen, bekommt die *Erfahrung, sich als*

Teil der Natur zu erleben, hier auch eine immense politische Bedeutung. Wer sich zutiefst als Teil erlebt und in Respekt vor anderen Lebensformen Tage in der Natur verbringt, kann danach nicht mehr so tun, als habe die Umwelt nichts mit ihm zu tun.

Damit führt eine solche Erfahrung ethisch und philosophisch zu einem tiefen Wertewandel, indem die TeilnehmerInnen die Welt nicht mehr als *Umwelt* wahrnehmen sondern als *Mitwelt* erleben. Sie hat damit eine unmittelbare ökopädagogische Wirkung – sie verstärkt nachhaltiges Handeln. Wer eine derartige Erfahrung macht, wird damit auch in ein *viel größeres holistisches Weltbild initiiert:* Wer sich solchen ritualisierten Naturerfahrungen aussetzt, überschreitet die *Grenze des Anthropozentrismus,* der unsere Kultur seit Hunderten von Jahren prägt. Man/frau erfährt sich selbst in seinem oder ihrem ‚ökologischen Selbst': Man/frau ist zwar Individuum, aber gleichzeitig Teil eines viel größeren Organismus oder Systems. Nicht umsonst ist die direkte Übersetzung des lateinischen ‚individere' das ‚Un-geteilte'. Der initiatorische Prozess in der wilden Natur verbindet die persönliche Individuation mit dem größeren Kontext der lebendigen Mitwelt und stellt das Individuum damit in einen größeren – nicht länger abgetrennten – Kontext.

Wohin also initiiert diese Erziehung zur Mündigkeit durch eine rituelle Naturerfahrung? In den, der ich eigentlich bin, könnte man antworten, in eine authentische Selbstwahrnehmung. In die Verbindung mit der Natur, in eine Verantwortlichkeit sich selbst und der Gemeinschaft gegenüber, in Achtung gegenüber anderen Menschen, in die Anerkennung dessen, was ist und den Glaube an Entwicklung. In eine Veränderung der Wahrnehmung, in Alleinsein und den eigenen Weg. In Wandlungsprozesse und ihre Anerkennung und damit in ein angstfreieres Leben, in ein neues Zuhause: Mutter Erde. In die eigene Emanzipation, die weniger abhängig ist von äußerer Bestätigung. In Vertrauen in die eigene Autorität. In einen sorgsamen Umgang mit sich und der Umwelt, in die Poesie der Wirklichkeit.

All das sind keine Inhalte, die in den Lehrplänen der Kultusministerien aufgeführt sind. Und sie passen auch kaum in den symbolischen ‚Nürnberger Trichter', der angesetzt wird, um normiertes Faktenwissen in Köpfe zu stopfen. Diese übergeordneten Reifungsziele basieren vielmehr auf Erfahrung, Eigenständigkeit und erlebter Autonomie. Lernen – das weiß jeder aus eigener Erfahrung – macht Spaß, wenn es von innen kommt, wenn die Neugier uns treibt und das neue Wissen unser Leben ganz praktisch ergänzt. Moderne Lerntheorie macht sich diese Erfahrung in den Begriffen der „Selbststeuerung", der „Selbstregulation" und „freien Aktivität" zu Nutze. Dahinter steht die Erkenntnis, dass der Mensch, der von innen heraus handelt, keine Erziehung braucht, sondern sich „selbst macht".

Die moderne Hirnforschung gibt diesem radikalen Ansatz recht. Das Gehirn braucht zum Lernen bestimmte Hormone, die bei Stress und Angst nicht ausgeschüttet werden, entdeckte Frederik Vester. Lernfähigkeit und Persönlichkeit bilden sich, wenn Stufe für Stufe neuronale Felder im Gehirn entstehen, die handelnd und selbsttätig mit Erfahrung gefüllt werden, so der amerikanische Forscher Joseph Chilton Pearce. Gerald Hüther, Hirnforscher an der Universität Hannover, fand heraus, dass das Gehirn ein sich selbst gestaltendes Organ ist, dass sich an dem orientiert, was es als bedeutungsvoll erlebt. Nur das Wissen, mit dem wir wirklich etwas anfangen können, ist bedeutsames Wissen. Und alles andere wird sowieso wieder vergessen.

Dabei werden die neuronalen Verbindungen dann besonders aktiv, wenn durch das Gefühl der Begeisterung Botenstoffe ausgeschüttet werden, die auf das Gehirn wie Dünger wirken. Eigen gestaltetes, an der Bedeutung der individuellen Entfaltung orientiertes Lernen löst diese Begeisterung aus. Es ist darin nicht nur viel stabiler und nachhaltiger, sondern erweitert zugleich die Gestaltungs- und Vernetzungsoptionen der neuronalen Netzwerke. „In unserem menschlichen Hirn sind wesentlich größere Potentiale angelegt", bestätigt Gerald Hüther im Gespräch: „Da gibt es viel mehr Vernetzungsoptionen, als das, was dann als Kümmerversion dessen, was es eigentlich hätte werden können, am Ende bei den meisten von uns herauskommt."

Deshalb wendet sich der Hirnforscher vehement gegen die alte Paukschule, die Menschen mit erprobten Werkzeugen von Druck und Angst zu einem vorher festgelegten Ziel drängen will. „Das ist im Grunde genommen Dressur, das ist Abrichtung, mit Belohnung und Bestrafung irgendein Ergebnis zu erzielen, was wir uns wünschen", so Hüther: „Was neurobiologisch tatsächlich was mit Potentialentfaltung zu tun hätte, das wäre, dass man einen Raum zur Verfügung stellt, in dem sie geschehen kann – das ist das Geheimnis des Gelingens!" Individuelle Potentialentfaltung ist in diesem Kontext auch die notwendige Voraussetzung für eine Gesellschaft, die für komplexe Herausforderungen neue Lösungen finden muss, die nicht aus der Wiederholung alter Muster entstehen können. „Das ist ein Prozess, der nur dann erfolgreich verlaufen wird, wenn er beim Einzelnen anfängt. Das heißt, wenn wir eine bessere Welt haben wollen, muss jeder Einzelne, der das gerne möchte, für sich anfangen, erst mal in sich selbst einen Zustand zu erzeugen, den man vielleicht ‚Friede' nennt oder ‚Liebe'. Und das wäre die Voraussetzung dafür, dass man anfangen kann, auch andere Menschen zu mögen. Dann könnte man andere Beziehungen aufbauen. Dann konnte man unter Umständen, wenn man so stark geworden ist, die anderen einladen und ermutigen und inspirieren, dass die ihre Kräfte auch entfalten können. Man könnte Erfahrungsräume bauen, in denen tatsächlich Potentialentfaltung möglich wird."

Als solche Erfahrungsräume bieten sich initiatorische Prozesse an. Sie arbeiten aus dem bisherigen Lebensweg würdigend das Erreichte heraus und helfen den InitiantInnen, sich als das anzunehmen, was sie geworden sind. Sie öffnen die Möglichkeit, sich auf die ungehobenen Potentiale zu konzentrieren und sie im Kontext der lebendigen Welt zu erfahren. Sie bieten mit dem Rückzug in die einsame Schwellenwelt eine Erfahrung an, in der jede(r) über sich, seine beschränkten Selbstbilder und Ängste hinauswächst. Sie bieten die verkörperte Erfahrung tiefer Verbundenheit (mit der natürlichen Welt) und zugleich einen Wachstumsraum in Freiheit und Autonomie. Diese zwei polaren Erfahrungen, die Gerald Hüther als die Grundbedürfnisse eines jeden Menschen seit der Geburt bezeichnet, werden in der herausfordernden Grenzerfahrung eines initiatorischen Prozesses berührt, ohne dass irgendjemand die Regeln oder Wege dorthin vorgibt. Die tiefe Selbsterfahrung und Verbundenheit schafft ein Feld der emotionalen Begeisterung und vertieft die Erfahrung der Selbstregulation in Körper, Geist und Seele.

In diesem Kontext lässt sich die uralte Tradition initiatorischer Arbeit durchaus als ein modernes Instrument der Potentialentfaltung im Kontext reformpädagogischer Ansätze nutzen.

Über den Autor

Dr. Geseko von Lüpke
Freischaffender Journalist, Olching
Politikwissenschaftler und Ethnologe, Buchautor, Visonssucheleiter

Vision und Verantwortung
Von der Selbstverwirklichung zur Naturverwirklichung und zurück

Dr. Robert J. Kozljanič

1. Vision als numinose Schau und sinnliche Epiphanie des Göttlichen

Das deutsche Wort „Vision" stammt vom lateinischen „visio", welches „Erscheinung", „Anblick" bedeutet. Religionswissenschaftlich gesehen ist eine „Vision" eine numinose Schau, eine göttliche Erscheinung. Diese Erscheinung wird vom Visionär in der Regel als äußerst real erlebt, wirklicher als alles, was er in seinem bisherigen Leben als wirklich erfahren hat. Um diese Art der numinosen Vision von anderen Visionen zu unterscheiden und zugleich ihren wirklichen bzw. ‚wirklicheren‘ Charakter zu betonen, spreche ich von Realvision. Realvisionen sind meist Wachvisionen (d.h. man hat dabei das Bewusstsein, wach zu sein – nicht zu träumen!) und unterscheiden sich dadurch von Traumvisionen (etwa den „großen Träumen" bei C. G. Jung), die ebenfalls starken Eindruck hinterlassen können und existenzielle Wirkung entfalten können, aber eben als geträumt em-pfunden und erlebt werden. Pragmatisch formuliert: Bei der Wachvision sind die Augen des Visionärs normalerweise offen, bei der Traumvision normalerweise zu.

Das griechische Pendant zur lateinischen „visio" bzw. „Vision" wäre „epiphaneia" bzw. eingedeutscht: „Epiphanie". Und das meint die visionäre Erscheinung und Selbstoffenbarung einer Gottheit und/oder eines göttlich-numinosen Geistes.[1] Solche Visionen und Erscheinungen gehen oft einher mit als Offenbarungen und/oder Weisungen (Botschaften) aufgefassten

---

[1] Einzig im Christentum und im Islam kann es sich dabei auch um eine Erscheinung eines teuflischen Geistes handeln. Einen Teufel als den absolut bösen Gegenpart zu einem absolut guten Gott gibt es so nur in Christentum und Islam.

Erlebnissen, die für den Visionär absolute Verbindlichkeit haben und ihn in diesem Sinne zur Verantwortung und gegebenenfalls auch zur Rechenschaft ziehen. In der traditionellen Weltsicht vieler indigener Völker bedingt derjenige, der sich dem Auftrag und der Verantwortung seiner Vision nicht stellt, Krankheit und Tod seiner engsten Verwandten und seiner selbst.

Oft wird in einer Vision nicht nur etwas geschaut, sondern auch etwas gehört, geschmeckt, gerochen, gefühlt, geahnt. Diesen sinnlichen Aspekten der Vision wird meist viel zu wenig Aufmerksamkeit geschenkt. Ob innerhalb oder außerhalb des wissenschaftlichen Kontextes: Man sagt, Visionen seien übersinnlich, metaphysisch, transzendent. Und sieht nicht genauer hin. Genau besehen sind aber die meisten Realvisionen zutiefst sinnlich, sie offenbaren sich in dieser Welt, sie entsteigen dieser Lebenswelt, zeigen sich in der Natur, also immanent, nicht transzendent. So war etwa die Vision Moses' vom brennenden Dornbusch am heiligen Berg Horeb, aus dem eine göttliche Stimme zu ihm sprach, äußerst sinnlich (vgl. Ex. 3). Nimmt man ihr alle sinnlichen Komponenten: Was bleibt dann noch von ihr? Eine abstrakte übersinnliche Stimme? Aber auch diese Stimme wurde ganz klar sinnlich vernommen. Sie wurde gehört, wenngleich auf andere Art, als man im Alltag zu hören gewohnt ist. Es wäre phänomenologisch gesehen korrekter, man würde sagen, dass es sich hier um eine spezielle Art (tiefen)sinnlicher Wahrnehmung handelt.

Realvisionen präsentieren sich ähnlich wie ein äußeres Erlebnis. D.h., dass es sich bei ihnen gerade nicht um einen rein innerpsychischen, subjektiven, nur-psychologischen Vorgang handelt. So sagt z.B. der indianische Schamane Black Elk von dem berühmten Lakota-Indianer Crazy Horse, dass er durch oftmaliges Visionssuchen Gesichte erhielt: „vom Felsen, vom Schatten, vom Dachs, von einem sich bäumenden Pferd [von dem er seinen Namen bekam], vom Tag und auch von Uambali Galeschka, dem gefleckten Adler; und von jedem von diesen, von jedem Gesicht, erhielt er wieder mehr Macht und Heiligkeit."[2] Der Lakota-Schamane Archie Fire Lame Deer hat das noch deutlicher zum Ausdruck gebracht: „Wenn ich geistig erschöpft bin, sehe ich

---

2 Black Elk: Die heilige Pfeife, Göttingen und Bornheim 61991, S. 63 f.

manchmal psychedelische Bilder. Ich sehe einen Baum über einen anderen hüpfen. War das eine Vision? Nein! Du bist einfach müde, du Trottel. Du hast drei Tage lang nicht geschlafen, deshalb spielt dir das Gehirn einen Streich. Eine Vision ist schwer zu erklären. Du empfängst sie bewußt, in hellwachem Zustand. Du siehst sie vor dir wie ein Fernsehbild. Du betest nach Kräften, und plötzlich siehst du dich etwas Bestimmtes tun, oder du siehst einen Adler in deine Visionsgrube fliegen, wie das mein Vater erlebt hat. Das sind Visionen, und sie kommen zu dir, während du bei vollem Bewußtsein oder zumindest halbwach bist. Es gibt auch Bilder oder Szenen, die du siehst, wenn du nur halb bei Bewußtsein bist oder schläfst. Das sind dann eher Träume als Visionen, doch auch sie sind wichtig. In jedem Fall müssen Träume wie Visionen zu dir und nicht aus dir kommen."[3]

2. Visionssuche als Übergangs- und Naturver-bindungs-Ritus

Wie die Zitate von Black Elk und Archie Fire Lame Deer schon andeuteten, geht es bei der Visionssuche genau darum: ein numinoses Wesen, einen göttlichen Geist zu erschauen, lebensbestimmende und gemeinschaftsfördernde visionäre Offenbarungen und/oder Weisungen von ihm zu empfangen. Der Visionssuchende setzt sich zu diesem Zweck zumindest eine Nacht und einen Tag, oft jedoch drei oder vier, eventuell auch noch mehr Tage und Nächte allein, fastend und die Naturmächte um eine Vision bittend, der Natur, dem Wilden und Anderen aus. Er verweilt dabei, möglichst wachend, unabgelenkt und (im übertragenen, manchmal auch wörtlichen Sinne) geistig-seelisch-leiblich nackt, an einem Ort.

Man könnte durchaus sagen, dass die Visionssuche eine Art religiöse Urpraxis fast aller Menschen ist. Denn fast überall und fast zu allen Zeiten gab es Menschen, die, nachdem ihnen das eigene und/oder gesellschaftliche Dasein fragwürdig, entwurzelt, entgöttlicht, erneuerungs- oder wandlungsbedürftig erschien, hinaus in die Wildnis gingen, um sich wieder mit der Natur

---

3 Lame Deer, A. F. u. Erdoes, R.: Medizinmann der Sioux, München 1995, S. 274 f.

zu verbinden,[4] um den An-Spruch der Natur zu vernehmen und – diesem An-Spruch ent-sprechend – neue tragfähige Wurzeln zu schlagen; Menschen, die dann, wenn sie spürten, dass ihre bisherigen Konzepte und Kategorien sie nicht mehr trugen, für gewisse Zeit die Menschengemeinschaft verließen, um zum erdmütterlichen Grund der freien Natur zurückzukehren; Menschen, die in die Wildnis gingen, sich dort radikal den Naturmächten aussetzten, an den Quellen der Natur neue Kraft schöpften, um schließlich als Verwandelte in die Gemeinschaft zurückzukehren. Wegen diesem, ihrem Wandlungs- und Erneuerungscharakter ist die Visionssuche gleichsam prädestiniert, in Krisen- und Schwellensituationen des individuellen wie gesellschaftlichen Lebens als Übergangsritus zu fungieren.[5]

Moses blieb auf dem Berg Sinai (40 Tage und Nächte ohne Essen und Trinken, wie es Ex. 34, 28, heißt). Und Jesus ging ebenfalls für 40 Tage und Nächte fastend in die Wüste. Die Lakota-Indianer gehen zur Visionssuche auf Hügelkuppen, an Orte etwa, an denen wichtige Ahnen bestattet wurden, bevorzugt auch auf den heiligen Berg „Bear Butte" am Rande der Black Hills. Dort beten sie zu den Naturmächten und erbitten Visionen. Von den altnordischen Germanen weiß man, dass sie auf den Grabhügel ihrer Ahnen gingen, um dort útiseta zu praktizieren (d.h. die Nacht über draußen, úti, sitzen, seta, um ein Gesicht zu erlangen, die Zukunft zu schauen, Zauber zu bewirken). Ähnliches wird von den Kelten berichtet. Die alten Griechen hatten unzählige heilige Naturstätten, an denen sie Inkubations- und Visionssuche-Riten pflegten. Am bekanntesten und volkstümlichsten ist das archaische Höhlenorakel des Trophonios. Von antiken Dichtern weiß man, dass sie auf besonderen Bergen (Helikon, Parnass, Olymp) ihre Initiation empfingen. Auch antike Weisheitssucher wie Epimenides, Pythagoras oder Empedokles zogen sich in Höhlen oder an einsame Naturorte zurück, um dort ihre ‚daimonische' Weisheit, ihre Heil- und Zauberkraft zu empfangen. Aus unzähligen Sagen und Märchen, aber auch durch glaubhafte Augenzeugenberichte wissen wir,

---

4 Das ist der Sinn jeder „Naturreligion": immer wieder die „religio" (Rückbindung) zur Natur zu suchen.

5 Zum Begriff „Übergangsritus" vgl. den ethnologischen Klassiker von Arnold von Gennep „Les rites de passage" (Paris 1909). Eine gute Übersicht bietet auch: Eliade, M.: Das Heilige und das Profane, Hamburg 1957, S. 108 ff.

dass sich hierzulande Menschen in speziellen Nächten an einsam gelegene unheimliche Orte (Kreuzwege, Gräber, Geister- und Spukorte in der Wildnis) begeben haben, um magische Einsichten und Fähigkeiten zu erlangen: eine Praxis, die sich in ländlichen Regionen bis ins letzte Jahrhundert hinein erhalten hat.[6]

Idealtypisch ist die Visionssuche-Praxis der Lakota-Indianer. Visionssuche heißt auf Lakota hanbletscheyapi (oder auch hanblechia),[7] das bedeutet „flehen um ein Gesicht". Von diesem „Flehen um ein Gesicht" sagt Black Elk: „Jedermann kann ein Gesicht erflehen, und in den alten Tagen flehten wir alle darum, Männer und Frauen. Was man dadurch erhält, hängt teilweise von der geistigen Beschaffenheit des Bittenden ab, denn nur den wirklich befähigten Menschen werden die großen Gesichte zuteil, die durch unsere heiligen Männer ausgelegt werden und unserem Stamme Kraft und Gesundheit verleihen. [...] Mancherlei Gründe können einen Menschen dazu treiben, auf eine Bergspitze flehen zu gehen. Einzelne junge Menschen erhalten ein Gesicht, wenn sie noch sehr jung sind und es nicht erwarten; in diesem Fall gehen sie flehen, um es besser zu verstehen. Wir flehen auch, wenn wir uns für eine große Selbstkasteiung wie den Sonnentanz mutig machen wollen, oder um uns für den Kriegspfad vorzubereiten. Zuweilen fleht man, um irgendeine Gunst, wie etwa die Genesung eines Verwandten, vom Großen Geiste [auf Lakota: Uakan-Tanka, d.h. großes Heiliges, großes Geheimnis] zu erbitten. Wir flehen auch, um dadurch Dank zu sagen für eine große Gabe, die uns der Große Geist gewährt hat. Aber der vielleicht wichtigste Grund zum Flehen ist, daß es uns hilft, unsere Einheit mit allen Dingen zu verwirklichen, zu wissen,

---

6 Vgl. hierzu die knappe und gute Darstellung diverser Visionssuche-Praktiken bei: Gehrts, H.: Von der Wirklichkeit der Märchen, Re-gensburg 1992, S. 125–135. Zu den div. Visionssuche-Methoden der Antike vgl. Kozljanič, R. J.: Antike Heil-Ort-Rituale – Traumorakel, Visionssuche und Naturmantik bei den Griechen und Römern, München 2004. Zur útiseta der Germanen vgl. Golther, W.: Hand-buch der germanischen Mythologie, (Nachdr. d. Ausg. v. 1895), Es-sen 1995, S. 644 f. u. 648 f. Zur keltischen Praxis vgl.: Das Sagen buch der walisischen Kelten (Die vier Zweige des Mabinogi), hg., übers. u. kommentiert v. B. Maier, München 1999, S. 16 f. und S. 124 (Kommentar).

7 Vgl. Black Elk: a.a.O., S. 63; und: Lame Deer, J. F. u. Erdoes, R.: Tahca Ushte – Medizinmann der Sioux, München 21995, S. 15.

daß alle Dinge unsere Verwandten sind; und dann beten wir zugunsten aller Dinge in ihrem Namen zu Uakan-Tanka, damit er uns Wissen um Ihn-selbst verleihe, von Ihm, der die Quelle aller Dinge ist, größer noch als alles."[8]

Sicherlich, manche dieser Visionssuche-Praktiken sind allzu sehr von magischem, dogmatischem und/oder abergläubischem Beiwerk umrankt und verzerrt. Doch jene Kernidee liegt ihnen allen zugrunde: in das unkultivierte, wilde „Draußen" zu gehen, um dort Heil und Sinn, Wirklichkeitsbindung und Naturverbundenheit sowie den Kontakt zu den göttlichen Mächten zu erlangen.

3. Die neue Visionssuche als Schwellen- und Selbstverwirklichungs-Ritual

1976 gründeten Steven Foster und Meredith Little „Rites of Passage Inc.", 1981 dann die legendäre „School of Lost Borders". In Anlehnung an die archaischen Visionssuche-Riten indigener Kulturen entwickelten sie ein standardisiertes neues Visionssuche-Verfahren für die Menschen der westlichen Zivilisation.[9] Drei bis vier Tage Vorbereitung (Einweisung, Sicherheitsregeln, Klärung der persönlichen Fragestellung, Finden des „Kraftplatzes"), vier Tage und Nächte Visionssuche (allein und fastend in der Wildnis am eigenen „Kraftplatz"), drei bis vier Tage Nachbereitung (Rückkehr, Erzählen und Interpretieren des Erlebten, Integration in den Alltag).[10] Die meisten, die heute

---

8 Black Elk: a.a.O., S. 63 f. (Die Hervorhebung im Zitat stammt von mir, R. J. K.)

9 Vgl. Foster, S. u. Little, M.: The Sacred Mountain, A Vision Quest Handbook for Adults, Big Pine 1984. In Deutschland unter dem Titel „Der heilige Berg. Handbuch für den Übergangsritus der Vision Quest" im März 1992 als Manuskript gedruckt; und: dies.: Vision Quest, Sinnsuche und Selbstheilung in der Wildnis, Braunschweig 1991.

10 Vgl. Koch-Weser, S. u. Lüpke, G. v.: Vision Quest. Visionssuche: allein in der Wildnis auf dem Weg zu sich selbst, Kreuzlingen und München 2000, S. 52 f.; und: Gediga, G.: Visionssuche, in: Das große Buch der ganzheitlichen Therapien, hg. v. R. Dahlke u. J. Mo-litor, München 2007, S. 496–504, hier S. 502 f.

Visionssuche-Seminare anbieten, stehen direkt oder indirekt in Verbindung mit der „School of Lost Borders" und verwenden das von Foster und Little entwickelte Verfahren.

Schon der Titel des Buches von Foster/Little – „Der heilige Berg. Handbuch für den Übergangsritus der Vision Quest" – zeigt, dass die neue Visionssuche wesentlich als „Schwellenritual" für die heutige Zeit gedacht ist. Sie basiert auf tiefenpsychologischen Konzepten (v.a. C. G. Jungs, J. Campbells) und therapeutischen Motiven (positive Überwindung und Integration von Traumata und Lebenskrisen). Wie die Autoren schreiben: „Inwieweit heute der Mangel an sinnvollen Riten das Wachstum des Individuums beeinträchtigt, läßt sich nicht genau bestimmen. Eine Vielfalt von Symptomen ist allerdings unübersehbar. Panik, Hysterie, Schock, Angst, Unsicherheit, Wut, Langeweile, Drogenmißbrauch, Schuldgefühle, Selbsthaß, Verwirrung, Hilflosigkeit und körperliche Gebrechen aller Art sind Begleiterscheinungen heutiger Krisen. Gewöhnlich lassen sich diese Krisen überwinden. D.h., das Individuum versteht seine Erfahrungen recht und schlecht und wurstelt weiter. [...] Viele Menschen [...] aber [...] bleiben in ihren Krisen stecken und fühlen sich unfähig, den Übergang von der alten Welt (= Vergangenheit) zu den Privilegien und Verantwortlichkeiten der neuen (= Zukunft) zu schaffen. Derart ausgedehnte depressive Phasen sollten nicht mit dem normalen Auf und Ab im Alltag verwechselt werden. Unfähig, Sinn in dem zu finden, was ihnen zustößt, können diese Menschen ihre Krise auch nicht hinter sich lassen, sondern werden im Gegenteil von ihr gefressen. Mit anderen Worten: Sie bleiben im Durchgang stecken und werden von ihm verschluckt." Deshalb sei gerade heute der Übergangsritus der Visionssuche nötig: „Die Vision Quest ist eine Erfahrung, die den Übergang von einer Lebensphase zur nächsten symbolisiert. Der/die Questende bewegt sich von einer Phase des Loslassens, der Trennung, zu einer Phase des Neubeginns." Diese Phasen richten sich „nach der vorgegebenen Dynamik einer Lebenskrise. So verstanden gibt sie dir eine elementare Struktur, mit deren Hilfe du dein Leben verstehen und leben kannst."[11]

---

11 Foster, S. u. Little, M.: Der heilige Berg. Handbuch für den Über-gangsritus der Vision Quest. München 1992, S. 13 u. 16.

Fluchtpunkt dieser neuen lebenskrisen-therapeutischen „Sinnsuche und Selbstheilung in der Wildnis" (so der Untertitel eines anderen Buches von Foster/Little) ist aber immer die Selbstverwirklichung des modernen Individuums. Deshalb können z.b. Sylvia Koch-Weser und Geseko von Lüpke in ihrem von Foster/Little inspirierten Buch „Vision Quest. Visionssuche: allein in der Wildnis auf dem Weg zu sich selbst" die Visionssuche mit einer Reise in die „eigene Innenwelt" vergleichen. „Auf dieser Reise geht es um Selbsterkenntnis." Auf dieser „Abenteuerreise" habe sich der/die Suchende als Held oder als Heldin „im Kampf gegen die Drachen der Außen- und Innenwelt" zu bewähren.[12] Kurt Weis definiert die Visionssuche als „Selbstfindungsritual".[13] Und bei Gebhard Gediga heißt es: „Die Visionssuche bietet einen klar strukturierten rituellen Rahmen, in dem wir wieder Zugang finden können zu unserem innersten Selbst."[14]

Galt oben, bei der archaischen Visionssuche: „In jedem Fall müssen Träume wie Visionen zu dir und nicht aus dir kommen";[15] – gilt hier, bei der neuen Visionssuche, das Gegenteil: die Vision kommt aus einem selbst, man nimmt sie „mit sich hinaus in die Wildnis [...] – sie wird nicht dort herausbeschworen."[16]

Doch nicht nur der Quellort der Visionen ist ein völlig anderer (‚Selbst' statt ‚Natur'), auch die Visionen selbst sind andere. Mythische Realvisionen werden im Kontext der neuen Visionssuche als „verständlicherweise eine ‚Nummer zu groß'" eingestuft. Deshalb gelte es, „den Begriff neu zu definieren."[17] Wenn im Kontext der neuen Visionssuche von Vision gesprochen wird, ist deshalb

---

12 Koch-Weser, S. u. Lüpke, G. v.: a.a.O., S. 51 f.

13 Weis, K.: Rituale, in: Das große Buch der ganzheitlichen Therapien, hg. v. R. Dahlke u. J. Molitor, München 2007, S. 427–434, hier: S. 432..

14 Gediga, G.: a.a.O., S. 496.

15 Lame Deer, A. F. u. Erdoes, R.: Medizinmann der Sioux, München 1995, S. 275

16 Koch-Weser, S. u. Lüpke, G. v.: a.a.O., S. 256; die Autoren zitieren hier zustimmend eine andere Visionssucheleiterin, Loren Cruden (zit. aus: Cruden, L.: Jeder Ort ist heilig. Regeln, Riten und Erfah-rungen für ein Leben im Einklang mit den Rhythmen von Himmel und Erde, München 1997, S. 122).

17 Koch-Weser, S. u. Lüpke, G. v.: a.a.O., S. 255.

meist nicht der religionswissenschaftliche Begriff „Vision" oder „Epiphanie" gemeint, sondern etwas viel Moderneres, Individuelleres, Subjektiveres, Profaneres, Rationaleres: nämlich das persönliche Lebenskonzept und Lebensleitbild, die Vorstellung von Ziel und Inhalt der eigenen Existenz.

Nicht umsonst heißt es, dass es bei der Visionssuche um eine „Idee"[18] gehe: „Vision hat dann zu tun mit der noch schlummernden Lebensaufgabe und einer Verbindung zur eigenen Kreativität, mit der sie sich umsetzen lässt."[19] Man könnte hier statt von „Idee" auch von einem „Ideal" bzw. (in loser Anlehnung an Freud und in großer Nähe zu meinem leibphilosophischen Es-/Ich-/Über-Ich-Konzept)[20] von einem „Ich-Ideal" sprechen.

Es geht also um die Arbeit am Lebenskonzept, um Biografiearbeit, um das Erstellen und Verwirklichen von erfolgreichen Lebensentwürfen und Lebensidealen[21]. Mythische Realvisionen spielen dabei entweder gar keine oder doch eine völlig untergeordnete Rolle, wie Foster/Little betonen: „Es ist jedoch auch wichtig, die Bedeutung von Visionen oder veränderten Bewußtseins-zuständen nicht überzubewerten. Visionen sind nicht der eigentliche Endzweck. Sie bedeuten nicht automatisch Veränderung. Sie sind kein Ersatz für ehrliche In-trospektion, das heilende Ausleben von Emotionen oder für die Klarheit und das seelische Gleichgewicht, das erforderlich ist, wenn man den Menschen um sich he-rum etwas Gutes tun will. Visionen sind nur Vehikel. Und Vehikel müssen gelenkt werden."[22]

Mit der Vehikel-Funktion der Visionen verändert sich auch die Verantwortung, die den Visionen gegenüber getragen wird. Der neue Visionssucher fühlt sich in erster Linie seinem Selbst gegenüber verpflichtet. Das Selbst und seine Idealvorstellungen vom eigene Leben, der eigenen

---

18 Koch-Weser, S. u. Lüpke, G. v.: a.a.O., S. 51.

19 Koch-Weser, S. u. Lüpke, G. v.: a.a.O., S. 257.

20 Vgl. Kozljanič, R. J.: Auf dem Weg zu einem lebendigen Leib-Denken, in: Jahrbuch für Lebensphilosophie, 2/2006 (Leib-Denken), S. 9–70.

21 Vgl. Koch-Weser, S. u. Lüpke, G. v.: a.a.O., S. 258.

22 Foster, S. u. Little, M.: Vision Quest, Sinnsuche und Selbstheilung in der Wildnis, Braunschweig 1991, S. 89. Ein ganz ähnliches Urteil geben in dieser Frage ab: Koch-Weser, S. u. Lüpke, G. v.: a.a.O., S. 258.

Lebensaufgabe und Lebensplanung werden zum Gradmesser für Visionen. Nur wo und insofern eine Vision ins Selbst-Konzept passt, fühlt man sich ihr verpflichtet; wo nicht oder nicht mehr, hat sie ausgedient und das Selbst sucht sich seine neue Idee, sein neues Ideal, sein neues Vehikel. Das ist, wie wir sahen, in archaisch-schamanischen Kulturen anders: Hier spielt die Vision eine vom Selbst und seinen Lebensidealen unabhängige und dominante Rolle; das Selbst hat sich den Weisungen der Vision zu beugen, ob es will oder nicht ...

4. Kritik am Selbstverwirklichungs-Konzept des neuen Visionssuche-Verfahrens

Wie wir sehen, mündet die neue Visionssuche schließlich in ein Selbstverwirklichungs-Konzept, bei dem Visionen Mittel zum Zweck sind. Der Zweck selbst besteht darin, alte Blockaden und kreativitätshindernde Bindungen zu überwinden, an der Entwicklung und Verwirklichung einer eigenen Lebensaufgabe zu arbeiten und so zu einem gesunden, flexiblen, kreativ-erfolgreichen und selbstbewussten Individuum zu werden. Aus dem alten mythischen Schwellen- und Übergangsritual ist unter der Hand ein postmodernes Verfahren des Sich-Selbst-Neu-Definierens, des Sich-Selbst-Neu-Konstruierens geworden. Im Vordergrund steht die Idee eines lebenslangen therapeutischen und biografischen Arbeitens an sich selbst. Die Visionssuche ist in diesem Sinne instrumentalisiert worden: Sie fungiert als therapeutisches Werkzeug, sie wird als Lebenskrisen-Management und Life-Coaching in den Dienst der postmodernen Leistungs- und Konsumgesellschaft gestellt. Die alten bürgerlich-protestantischen Tugenden Fleiß und Arbeit – „ohne Fleiß kein Preis" und „erst die Arbeit, dann der Spaß" – kehren mit neuen Vorzeichen wieder; jetzt heißt es: „ohne lebenslange Biografiearbeit kein selbstbewusstes Selbst" und „ohne selbstbewusstes Selbst weniger Spaß im Leben".

Stärke, Plausibilität und v.a. auch Attraktivität dieses modern-postmodernen Selbstverwirklichungs-Konzepts stehen außer Frage. Denn wer möchte nicht in diesem Sinne der stolze Besitzer eines gesunden, flexiblen, kreativerfolgreichen, selbstbewussten und genussfähigen Selbst sein? Und doch hat genau dieses Selbst seinen Preis. Das zeigt sich, wenn man der Frage nachgeht: Was kommt bei all dem zu kurz? Ich liste einige Punkte auf. Zu kurz kommt z.b.:

• die Natur, als das, was *ohne unser Zutun* entsteht, besteht und vergeht, was *ohne alle menschliche Manipulation* geboren wird, sich entwickelt und verwickelt, sich verwandelt, vergeht und neu entsteht. Wie ich glaube, zeigt sich das Wesen der Natur nur in einem Freiraum, der sich bildet, wenn das instrumentelle Denken, wenn Zweckrationalität und ‚Macher-Mentalität' durchbrochen bzw. verlassen werden und wenn man Natur lässt, zulässt, sein lässt. Deshalb sprach ich in meinem Buch „Freundschaft mit der Natur" davon, dass hier *eine* Schlüsselkompetenz besonders wichtig sei: das Sein-Lassen-Können[23] als Ge-Lassen-Heit, als die Fähigkeit zum Lass-ES-Sein.

---

23 Vgl. Kozljanič, R. J.: Freundschaft mit der Natur – Naturphilosophi-sche Praxis und Tiefenökologie, Klein Jasedow 2008, S. 56 f.: Der Zugang zur Natur wird dadurch verwirklicht, dass zunächst etwas ‚in Ruhe gelassen' wird. Keine Ablenkung der Wahrnehmung, son-dern gelassene Hinwendung zur freien Natur. Man lässt sich und die Natur sein. Und deshalb – und nur deshalb – kann die ‚eigene' und die ‚andere' Natur frei von sich her in Erscheinung treten. Dass dieses Sein-Lassen alles andere als leicht ist, wissen alle, die so et-was schon einmal versucht haben. Es gibt unzählige Beispiele von Menschen, die, nachdem sie einmal wirklich alleine und unabge-lenkt für längere Zeit in der Natur waren, damit nicht umzugehen wussten und mit neu-rotischen Zwangshandlungen reagierten: z.B. andauernd zwanghaft beschäftigt waren, irgende-twas zu machen, zu verändern. Wer dies selbst einmal erlebt hat, weiß, was dann für ein ‚Film abläuft'. Selbst die ansonsten immer so geordneten, ziel- und zweckgerichteten Gedanken krei-sen auf einmal rast- und ziellos im eigenen Kopf umher. Das geschäftige Verändern-Wollen ist zu tief mit unserer modernen Lebensart verknüpft. Die Fähigkeit zum Sein-Lassen – zur Ge-Lassen-Heit, zum Lass-ES-sein – ist ein rares Gut. Sie muss von uns Zivilisationsmenschen erst von

- Ebenfalls zu kurz kommt das *lebens- wie kulturgeschichtlich Mit-Auf-Den-Weg-Gegebene*, das historisch Gewachsene und schicksalshaft Gewordene in seinen persönlichkeits- wie gesellschaftsprägenden Aspekten; und damit meine ich jetzt nicht – zivilisationskritisch gesehen – die negativen und zerstörerischen Aspekte, sondern in erster Linie die positiven, tragenden und kreativen Potentiale, die in jeder Kultur vorder- oder untergründig mitlaufen und mitschwingen. Diese Momente bleiben bei der Neudefinition und Neukonstruktion des modernen Selbst gern auf der Strecke – denn sie sind eben meist gar nicht ‚neu‘.

- Genereller könnte man sagen, dass auch das *wilde, freie und spielerische Gewordensein* zu kurz kommt. Wenn ich mir überlege, was sich in meinem eigenen Leben in den zweckfreien Nischen und Momenten von selbst – wild, frei, spielerisch – entwickelt hat; wenn ich mir überlege, was sich auch in unserer Gesellschaft subkulturell, in den von Geld und Politik nicht vereinnahmten Nischen und Zeiten – wild, frei, spielerisch – entwickelt hat: Es ist doch jede Menge – ich möchte es (größtenteils) nicht missen. Viel davon hat sich einfach so ergeben – weil es sein durfte, aus „Spaß an der Freud", aus Lebenslust und Fantasie – ganz ohne Biografiearbeit, ohne Erfolgskonzept, ohne strategische oder pekuniäre Interessen, ohne Zielsetzung und Aufgabenstellung, ohne Selbstverwirklichungs-Stress.

- Zu kurz kommt auch das *Mehr-Als-Nur-Menschlich-Seelische*, das über- wie vor-menschlich Seelische; damit meine ich die tiefensinnlich-animistische Dimension der Natur, das Göttliche in seiner seelischen Erscheinungvielfalt, die animalischen, vegetabilen, mineralischen, sphärischen und sonstigen Naturreiche.

- Mit einem Wort: Zu kurz kommt alles, was sich nicht als Selbst, selbstrelevant und selbst-bezogen ausweisen lässt. Und das ist, genau besehen, nicht wenig ...

Neuem erworben werden. Deshalb meine ich, dass ganz generell im naturphiloso-phisch-praktischen (und damit auch im naturerlebnispädagogi-schen) Kontext das Erlernen der Fähigkeit zum Sein-Lassen von Na-tur an erster Stelle stehen sollte.

Machen wir uns nichts vor: (Post-)Moderne Selbstverwirklichung kommt über weite Strecken ohne die freie und wilde Natur aus. So ist es, um ein Beispiel zu nennen, kein Zufall, dass der Visionssuche-Leiter und Gründer des „Instituts für Naturtherapie" Holger Kalweit – einer der innovativsten Geister auf diesem Gebiet – inzwischen bei einer noch effektiveren Selbstheilungs- und Selbstverwirklichungs-Methode angelangt ist, die ganz ohne Landschaft oder Wildnis auskommt: „Dunkeltherapie".[24]

Bei der Dunkeltherapie bleibt man mehrere Tage und Nächte in einem von Kalweit dafür arrangierten kleinen Appartement, in dem absolute Dunkelheit und möglichst große Einsamkeit herrschen. Man kann in der Dunkelheit eigentlich alles machen: kochen, essen, baden, musikhören, schlafen. Es muss eben nur dunkel sein und man muss – abgesehen von den kurzen täglichen Coaching-Besuchen des Therapeuten – allein bleiben. Der gewünschte Effekt – dass man dabei innerlich „leer" wird und so zu seinem „wahren Wesen" kommt[25] – wird meist viel schneller, direkter und auch angenehmer erreicht. Die Naturlandschaft der Visionssuche wird hier durch ein abdunkelbares Appartement ersetzt, Wildnis durch Zivilisation. Der Ersatz funktioniert aus Sicht des Selbstverwirklichungs-Konzeptes dabei sogar besser als das Original.

Nach dieser Kritik des Selbstverwirklichungs-Konzeptes könnte die Meinung entstehen, das neue Visionssuche-Verfahren selbst sei abzulehnen: Der Preis sei zu hoch, Natur bleibe auf der Strecke, das Gewachsene, Animistische und Numinose würden weg-instrumentalisiert. Hat sich also mit dieser Kritik das neue Visionssuche-Verfahren als naturphilosophische und naturerlebnis-spädagogische Methode erledigt? Ich denke: Nein. Ganz im Gegenteil. Ich bin

---

24 Vgl. Kalweit, H.: Dunkeltherapie. Die Vision des inneren Lichts, Burgrain 2004; vgl. auch ders.: Urheiler, Medizinleute und Schama-nen – Die Wiederkehr archaischer Lebenstherapie, München 1992; und ders.: Naturtherapie – Initiationsreise zur Erdmutter, Uhlstätt-Kirchhasel 2004.

25 Holger Kalweit zit. in: Koch-Weser, S. u. Lüpke, G. v.: a.a.O., S. 255. Wie Koch-Weser und von Lüpke anmerken, sind Stille und Einsam-keit entscheidend: „Wer lange genug in der Einsamkeit ist, läuft leer, Gedanken und Gefühle werden immer seltener, Zeit und Raum werden unwich-tig."

davon überzeugt, dass das neue Visionssuche-Verfahren einer der tiefsten Naturzugänge ist, die wir momentan überhaupt haben. Ich bin ebenso davon überzeugt, dass es eine (natur)erlebnispädagogische Praxis von herausragender Bedeutung ist und bleiben wird (Stichwort „Solo"). Nicht umsonst habe ich in meinem Buch „Freundschaft mit der Natur, Tiefenökologie und naturphilosophische Praxis" die Visionssuche als die „naturphilosophische Radikalpraxis" bezeichnet und ausgewiesen.[26] Die neue Visionssuche ist eines der tragfähigsten naturphilosophisch-praktischen Zukunftskonzepte. Eine Methode, den natur-entfremdeten Menschen unserer Zeit und Kultur wieder mit der Natur zu verbinden und zu erden. Dazu bedarf es aber einer gewissen Erweiterung und Vertiefung. Das Konzept der Selbstverwirklichung muss um das Konzept der Naturverwirklichung erweitert werden.

5. Von der Selbstverwirklichung zur Naturverwirklichung und zurück

Um von der Selbstverwirklichung zur Naturverwirklichung zu kommen, muss die übliche Fragerichtung des modernen Visionssuchers radikal umgedreht werden. Statt zu fragen: „Wo stehe ich gerade in meinem Leben? Was möchte ich hinter mir lassen, wovon will ich mich lösen?"[27] – steht auf einmal die Frage im Raum: Wohin hat mich eigentlich die freie und wilde Natur gestellt? Wohin hat mich mein eigenes Schicksal gestellt? Welche schicksalshafte Bedeutung weht mir aus der Wildnis entgegen? Und wie kann ich dieser Anwehung, diesem Anhauch, dieser Ahnung entsprechen? Wie kann ich diese Natur in meinem Leben verwirklichen, gesellschaftlich umsetzen und kultivieren?

---

26 Vgl. Kozljanič, R. J.: Freundschaft mit der Natur, a.a.O., S. 52–55 sowie S. 58–62.

27 Koch-Weser, S. u. Lüpke, G. v.: a.a.O., S. 58.

Statt der für die neue Visionssuche zentralen Frage „Was ist meine Aufgabe?"[28] heißt es nun: Welche Aufgabe haben mir die freie Natur und das wilde Gewordensein gestellt? (Haben sie mir überhaupt eine Aufgabe gestellt? Sprechen sie mich überhaupt an? Wenn nicht, dann ist das Thema Naturverwirklichung für mich vorerst gegenstandslos.) Nach dieser Wendung der Fragerichtung ist nun nicht mehr das eigene Selbst der Fragen- und Aufgabensteller, sondern die freie Natur mit ihren abertausend Wesen und Erscheinungen, mit ihren Stimmungen, Launen, Fantasien, mit ihrem Spieltrieb. Natur fungiert hier nicht mehr nur als eines von mehreren möglichen Selbstverwirklichungs-Settings, als eine wegen ihrer Stille, Einsamkeit und Ästhetik ganz taugliche Selbstfindungs-Kulisse, als Kontemplations-Stimulanz. Sondern Natur wird zu einem numinosen Raum voller Ahnungen und Geheimnisse, voller Weisungen, Weisheiten und ehrfurchteinflößender Phänomene. Natur wird hier auch zu einem fantastischen Raum von spielerischen wie ernsteren Möglichkeiten, zu einem ge-lassenen und zu-lassenden Freiraum. Natur wird dabei aber nicht in Dienst genommen, sondern man öffnet sich selbst – fasziniert und freiwillig, verantwortungsbewusst und spielerisch – den An- und Zumutungen der Natur, ihren ungezählten Wesen und Erscheinungen. Hier hört die Natur auf, reine Projektionsfläche meines Selbst, seiner Neurosen und Wünsche, seiner Ängste und Sehnsüchte zu sein. Natur erhält hier ihren ursprünglichen Eigenwert und ihre Freiheit zurück. Sie kann nun wieder als das, was sie für die meisten Menschen dieser Erde seit Jahrtausenden war, in Erscheinung treten: als das die Menschenwelt Umfassende und Überragende, als das Größer-Als-Der-Mensch-Seiende, das Vor-Und-Nach-Dem-Menschen-Seiende, als der animistisch-polytheistisch-pantheisti-sche Kontext unseres Lebens, als das wilde, freie, spielerische Gewordensein, als „schöpferische Entwicklung".[29]

Diese radikale Umkehrung der Fragerichtung bewirkt zunächst, dass die sogenannten „klassischen Themen der [neuen] Visionssuche"[30] an Wichtigkeit verlieren und sich verwandeln. Fragen nach dem eigenen Frau- oder Mann-

---

28 Koch-Weser, S. u. Lüpke, G. v.: a.a.O., S. 259; Kursivierung durch mich, R. J. K.

29 Im Sinne Henri Bergsons; vgl. Bergson, H.: Schöpferische Entwick-lung, Jena 1912.

30 Vgl. Koch-Weser, S. u. Lüpke, G. v.: a.a.O., S. 259 ff.

Sein[31] stehen dann nicht mehr so im Vordergrund, sondern das, was sich an An- und Zumutungen in der Natur von selbst anbietet und/oder aufdrängt. Etwa die Frage: Diese drei schönen Birken, die dort direkt neben meinem Visionssuche-Platz stehen und sich wie anmutige Nymphen im Wind neigen: Wollen sie mir etwas sagen? Was wollen sie mir denn sagen? Wie kann ich an ihrer Naturqualität teilhaben? – Oder die Frage: Dieser Kolkrabe dort, der sich direkt neben mir niedergelassen hat und der mich aus seinen unergründlichen schwarzen Augen blinkend-blinzelnd so wissend ansieht: Was will er mir mitteilen? Wie kann ich an seiner Weisheit teilhaben? Oder: Dieses Sommergewitter da, das seine Blitze auf den Nachbarhügel niedersendet, das mich so aufwühlt, zutiefst ängstigt und erschüttert: Was will es mir mitteilen? Was hat es mit mir vor? Will es mir etwas von seiner Macht mitteilen? Und wenn ja, werde ich das überleben, wie werde ich das überleben?

Auch Fragen der Beziehung, der Liebe und Sexualität[32] wandeln sich radikal. Auch sie werden ihrem menschlich-nur-menschlichen Kontext entrissen. Der/die eigene Partner/in treten in den Hintergrund und dominant tritt die Frage an mich heran: Welches Naturwesen, welche Naturerscheinung ist denn mein/e Freund/in dort draußen in der Wildnis? Wer in der engen Menschenwelt meine Freunde sind, das weiß ich ja, aber da draußen, im Offenen und Wilden? Habe ich dort auch Freunde? Und wenn ja, welche? Und wenn nein: Wie könnte ich welche gewinnen? Und welche Art Liebe bindet mich an diese Wesen? Erotische Liebe? Naturbezogene Nächstenliebe? Liebevolles Mitleid? Kämpferische Liebe? Schützende Liebe? Gerechtigkeitsliebe? Selbstaufopfernde Liebe? Weisheitssuchende Liebe?

Die Fragen, die sich um die Themen Krankheit und Tod ranken,[33] verwandeln sich ebenfalls. Der neue Visionssucher fragt gern so: Wieso trifft gerade mich diese Krankheit? Ich will doch noch nicht sterben. Was muss ich tun, um die Krankheit zu überwinden und den Tod hinauszuzögern? Ich war schon bei so vielen Ärzten. Sie konnten mir alle nicht helfen. Vielleicht gehe ich nun am besten auf Visionssuche, um meine Selbstheilkräfte anzukurbeln.

---

31 Vgl. Koch-Weser, S. u. Lüpke, G. v.: a.a.O., S. 261–270.

32 Vgl. Koch-Weser, S. u. Lüpke, G. v.: a.a.O., S. 271–275.

33 Vgl. Koch-Weser, S. u. Lüpke, G. v.: a.a.O., S. 276–283.

Vielleicht hilft das ja. – Der an der Naturverwirklichung interessierte Sucher dagegen wird so fragen: Ist diese Krankheit ein Ruf der Natur? Oder ist sie die Folge meines naturentfremdeten Daseins? Oder ist sie der Ruf der Natur, der, durch mein naturentfremdetes Daseins verzerrt und gedämpft, nur undeutlich zu mir durchdringen kann? Oder ist diese Krankheit ein Versuch meiner eigenen Leibesnatur, wieder gesund zu werden?

Was nun die Frage nach der eigenen Berufung[34] – hinter der in unserer Kultur ja fast immer die Frage nach dem eigenen Beruf bzw. die Frage „Wie verdiene ich mein Geld?" verborgen ist – betrifft: Auch sie wird radikalisiert. Es heißt nun: Woher aus der Natur ertönt mir der Ruf? Wer oder was ruft mich? Wie ent-spreche ich diesem An-Ruf? Wie verwirkliche und kultiviere ich ihn? Und was mache ich, wenn ich realisiere, dass diese, meine Gesellschaft, trotz der vielen hundert Berufe, die sie mir bietet, an dem für mich lebenswichtigen Natur-Ruf nicht im Geringsten interessiert ist? Bin ich dann so authentisch und klar, dass ich, wie der Wanapum-Schamane Smohalla Ende des 19. Jahrhunderts auf die Frage eines Mister Huggins – ob es denn nicht besser wäre, die Indianer würden endlich „die Arbeit des weißen Mannes [...] erlernen" – antworten kann: Wir werden niemals so arbeiten wie ihr. Unsere „Arbeit dauert nur ein paar Wochen. Außerdem ist es eine natürliche Arbeit. Sie schadet [...] nicht. Die Arbeit des weißen Mannes dagegen verhärtet Seele und Leib." „Wir nehmen nur die Gaben, die uns freiwillig geschenkt werden. Wir verletzen die Erde nicht mehr, als der Finger des Säuglings die Brust seiner Mutter verletzt. Der weiße Mann aber reißt riesige Flächen des Bodens auf, zieht tiefe Gräben, holzt Wälder ab und verändert das Gesicht der Erde. Ihr wißt sehr gut, daß das nicht recht ist. Jeder aufrichtige Mann weiß in seinem Herzen, daß das gegen die Gesetze des Großen Geistes verstößt. Aber die Weißen sind so habgierig, daß sie sich darüber keine Gedanken machen." Darauf erwiderte Huggins: „Du sagst, Weisheit kommt aus Träumen [gemeint sind hier in erster Linie Realvisionen] und alle, die arbeiten [wie der weiße Mann], können nicht träumen. Aber der weiße Mann, der arbeitet, kennt viele Dinge und kann viele Dinge machen, die dem Indianer unbekannt sind." Darauf Smohalla: „Seine Weisheit kommt aus seinem Kopf und aus seinen

---

34 Vgl. Koch-Weser, S. u. Lüpke, G. v.: a.a.O., S. 283–287.

eigenen Gedanken. Solche Weisheit ist armselig und schwach. [...] Jeder muß die wahre Weisheit selber erfahren. Sie kann nicht mit Worten gelehrt werden".[35]

Es gibt selbstverständlich verschiedene Arten von Heilung, verschieden Heilmethoden. Arzt und Therapeut können Heilprozesse einleiten. Man kann sich auch selbst heilen. Man sollte nur über all den Heilmethoden und Heilsangeboten die Natur und ihre Urheilkraft nicht vergessen. Medicus curat, natura sanat. Der Arzt behandelt, die Natur heilt, heißt es. Wie wahr. Krass formuliert: Arzt und Selbst können kurieren, wie sie wollen, solange die Natur nicht ihr „mihi placet", ihr Ja-Wort, erteilt, ist Heilung nicht möglich. Genau besehen verfügt auch die Natur über mehrere Wege des Heilens. Einer dieser Heilungswege – in unserer Zeit sicherlich einer der wichtigen – ist derjenige, dass die Natur uns dem Menschlich-nur-Menschlichen entreißt, dass sie uns zeigt, dass es noch eine ganz andere Welt als die der gesellschaftlichen Ränge und Zwänge gibt ...

Wer das Ghetto des Menschlich-Nur-Menschlichen verlassen will, wer aus dem Hamsterrad des nur-gesellschaftlichen Lohn-Und-Freizeit-Daseins, dieser merkwürdigen Mischung aus Verlustangst und Noch-Mehr-Haben-Wollen, wer aus dem Gefängnis, das sich die Menschen selbst gebaut haben, ausbrechen will, dem empfehle ich diese Art der Naturverwirklichung.

Um nicht missverstanden zu werden: Ich bin nicht der Meinung, dass Selbstverwirklichung der falsche Weg sei. Auch nicht, dass sie durch Naturverwirklichung zu ersetzen sei oder ersetzt werden könnte. Ich meine es anders, nämlich so: An erster Stelle sollte für einen naturliebenden und naturverbundenen Menschen die Naturverwirklichung stehen. Auf dieser Basis kann er sich dann der Aufgabe der Selbstverwirklichung zuwenden; einer Aufgabe, die fundamental wichtig ist, die aber, wenn sie nicht durch Naturverwirklichung unterbaut ist, zu sehr um sich selbst kreist, zu sehr auch im Zeitmäßigen und Gesellschaftlichen stecken bleibt, als dass sie nachhaltig heilsam oder verantwortungsfördernd sein könnte.

---

35 Smohalla, zit. in: „Meine Worte sind wie Sterne – sie gehen nicht unter". Reden der Indianerhäuptlinge, hg. v. W. Arrowsmith u. M. Korth, München 1984, S. 28 f.

6. Realvision und Tiefenökologie: „Man beutet keine Natur aus, die zu einem spricht"

Um auch in diesem Punkt nicht missverstanden zu werden: Es geht mir nicht darum, eine neue-alte Naturreligion zu predigen. Ich möchte auch das Thema der Realvisionen nicht höher hängen als nötig. Ich bin auch nicht der Meinung, dass unser Heil einzig und allein an mythischen Realvisionen hängt. Realvisionen können andere fundamentale Lebenskompetenzen (Gelassenheit, Empathie, Vertrauen, Vernunft, Gesprächsbereitschaft, Verantwortung, Kritik- und Widerstandsfähigkeit, Bildung etc.) und Umgangsformen (mit zerstörerischer Wut und gerechtem Zorn etwa oder mit Schmerz und Verzweiflung oder mit übermäßigem Reichtum und Erfolg) nicht ersetzen. Was für mich die mythische-visionäre Dimension so unersetzbar macht, ist etwas anderes. Nämlich die Beobachtung, dass nur dort die Natur bzw. ihre unzähligen Wesen tatsächlich – sensu stricto et proprio – mit dem Menschen sprechen. Wollen wir also mit der Natur reden, müssen wir zumindest einen Rest dieser mythisch-visionären Dimension wieder zulassen. Denn an diesem mythisch-visionären Rest hängt m.E. auch ein Rest an Tiefensensibilität, Tiefenwahrnehmung und ‚Natursichtigkeit'. Es gehört für mich zum weitesten Begriff von Vernunft, dass auch Natur als Dialogpartner zugelassen und nicht ausgegrenzt wird. Ganzheitliches Menschsein beinhaltet für mich ein Vernunftvermögen, das aus der Tiefe der Wahrnehmung schöpfen kann und diese archaische Lebensquelle nicht verstopft und bekämpft. Vernunft und Selbst verflachen, wenn sie sich dieser Tiefe berauben. Wo sich Vernunft nicht offen hält für das Geheimnis des Lebens – und Realvisionen sind eine ausgezeichnete Möglichkeit des Zugangs zu diesem Geheimnis! – wird sie flach und öde und führt zu einer Entzauberung der Welt mit zahlreichen negativen Konsequenzen, mit ökologischen und tiefenökologischen Auswirkungen.

Erhellend ist in diesem Zusammenhang Hans Peter Duerrs Diktum: „Man beutet keine Natur aus, die zu einem spricht".[36] Ich könnte auch sagen: Eine Natur, die zu einem spricht, steht einem nicht

---

36 Duerr, H. P.: Traumzeit, Frankfurt a.M. 1985, S. 149.

fremd, instrumentalisiert und unterdrückt gegenüber, sondern frei und numinos (freundschaftlich oder gefahrdrohend) zur Seite. So unglaublich es für uns abendländische Menschen auch klingt: Solange die Natur nicht wieder zu uns spricht, solange werden wir es nicht schaffen, dem Zustand der Naturentfremdung zu entkommen. Und solange uns die Natur fremd ist, werden wir nicht naturgemäß handeln können und – als Folge davon – auch nicht ökologisch! Oder anders ausgedrückt: Solange es uns nicht gelingt, wieder Anschluss zu finden an die archaisch-mythische Erfahrungsdimension,[37] solange haben wir unser „Umweltproblem", denn solange wird die Natur nicht zu uns sprechen, sondern lediglich stumme, sprachlose Natur sein: eben Umwelt.

7. Realvision und lebendige Vernunft. Oder: Schauen mit dem „Auge des Herzens"

Wer von uns heutigen Zivilisationsmenschen geht ernsthaft auf Visionssuche? Wenige. Und wer von denen, die das tun, versucht nicht nur sich selbst, sondern auch Natur zu verwirklichen? Noch weniger. Und wer von diesen ganz Wenigen hat eine Realvision? Ein verschwindend geringer Rest.[38] Es ist klar: Realvisionen sind heutzutage eine abseitige Ausnahmeerscheinung. Nicht zuletzt deshalb ist es heute schwerer denn

---

37 Die archaisch-mythische Erfahrungsdimension bzw. den archaisch-mythisch-daimonische Naturzugang habe ich als einen von mehre-ren historisch gewordenen Naturzugängen (dem neuzeitlich-ästhetischen, dem mittelalterlichen sinnbildlich-allegorischen und dem olympisch-mythisch-atmosphärischen) beschrieben in: Kozl-janič, R. J.: Freundschaft mit der Natur, a.a.O., S. 26–38.

38 So berichten Foster/Little von einer 17-jährigen Schülerin, die bei ihrer Visionssuche folgendes Gesicht hatte: „Ich sah zum Mond hin-auf, der einer glänzenden Sichel glich. Plötzlich sah ich, wie sich ei-ne makellose, leuchtende Taube aus ihm heraus löste und zu mir herab auf die Erde flog! Meine Augen waren weit offen. Ich sah die-sen wunderschönen Vogel zu unserem Planeten herabfliegen. Ich schloß meine Augen und schrie ‚Vater, wir brauchen dich!' Ich dachte, die Erscheinung sei eine Einbildung. Ich fürchtete mich, an so eine kraftvolle Erscheinung zu glauben." Foster, S. u. Little, M.: Vi-sion Quest, a.a.O., S. 275.

je, die richtige Haltung zum Thema Realvisionen einzunehmen. Doch auch aus ganz anderen Gründen fällt es uns nicht leicht, uns ins rechte Verhältnis zu den Realvisionen zu setzen. Werden Realvisionen zum Vehikel für Selbstverwirklichung, so verlieren sie ihre mehr-als-menschliche Numinosität, verlieren sie ihre Spreng- und Naturheilkraft. Und aus einer urtümlichen Heil- und Naturverbindungspraxis wird eine banale persönliche Leitbild-Entwicklung, eine Ideen-Konzeption, eine Arbeit am Ich-Ideal.[39] Zu alldem können Realvisionen heute kein Allheilmittel sein, ihre gesellschafts- und persönlichkeitsprägende Rolle tendiert gegen Null. Die Zeit der religiösen Führer und fanatischen Propheten ist in demokratischen, selbstbestimmten Gesellschaften vorbei. Zum Glück.

Ich meine, die Aufgabe, die wir vor uns haben, sieht in etwa so aus: das Visionäre im weitesten Sinne (von den Realvisionen über die Traumvisionen bis zu den persönlichen Leitbildern und den gesellschaftlichen Utopien) mit dem Vernünftigen im weitesten Sinne (einer lebendigen Erfahrungs- und Gesprächsvernunft) zu verbinden. Dieses Vernünftige im weitesten Sinne, diese Erfahrungs- und Gesprächsvernunft habe ich an anderer Stelle philosophisch als lebendige Vernunft beschrieben und entfaltet. Lebendige Vernunft, etwas plakativ, aber doch sehr zutreffend ausgedrückt, ist eine Vernunft, die zwischen Bauchgefühl, Herzenswahrnehmung und Kopfgedanken vermitteln kann. Diese Vermittlungs- und Vernehmensvernunft[40] ist in der Lage, ein dunkles Bauchgefühl nicht nur wahrzunehmen, sondern auch als solches zuzulassen, anzuerkennen (ohne es umbiegen oder wegreden, ausgrenzen oder verdrängen zu müssen). Diese Vernunft ist sogar in der Lage, das Bauchgefühl hochsteigen zu lassen und es mit dem Herzen wahrzunehmen, zu bewerten, und dann vermittels des Kopfdenkens rational zu beurteilen.

Um ein Beispiel zu nennen: Wenn sich im Bauch ein tiefer Groll bemerkbar macht, dann sagt diese Vernunft nicht: Weg mit diesem irrationalen primitiven Plunder, runtergeschluckt, verdrängt oder wegtherapiert. Sondern sie

---

39 Es ist ein schlechtes Zeichen, wenn irgendeine Methode oder Praxis auch für Manager und ‚Führungskräfte' angeboten wird, etwa als ‚Managerseminar'. Die neue Visionssuche hat diese kritische Stufe schon erreicht. Visionssuchen für Manager werden schon seit Län-gerem angeboten. Vgl. Koch-Weser, S. u. Lüpke, G. v.: a.a.O., S. 312 f.

40 Das Wort „Vernunft" hängt etymologisch eng mit dem Wort „ver-nehmen" zusammen.

sagt sich: Aha, was will sich denn da in den Tiefen meines Daseins bemerkbar machen und mitteilen? Aha, ein dunkler heftiger Groll! Und die Vernunft fragt sich: Was hat denn dieser Groll mitzuteilen? Und diese Vernunft sieht mit dem Herzen hin und erwägt: Fühlt es sich mehr wie Beleidigtsein an? Und wenn ja, grollt das kleine narzisstische Ich in mir oder ist es das große unbewusst-wissende Ich, das aufbegehrt? Und: Was macht sich in und durch den Groll bemerkbar? Sind es kleine Sorgen oder große Ängste? Ist es zerstörerische Wut oder gerechter Zorn? Wurde jemandem Unrecht getan? Gab es Frustrationen und Empörungen? Wurde etwas Wichtiges in mir übergangen? Was steckt dahinter? Eher eine ‚beleidigte Leberwurst‘, ein verletztes Gefühl, eine gravierende Lüge oder gar Lebenslüge?

So oder ähnlich fragt die Vernunft auf der Herzens-ebene, um aber schließlich diese Herzenserwägungen noch eine Etage höher steigen zu lassen und rational darüber zu urteilen. Wo mache ich mir selbst oder anderen etwas vor? Was ist nun vernünftiger Weise zu tun oder zu lassen? Was wäre die logische Konsequenz? Was kann ich, zweckrational gesehen, dafür oder dagegen tun? Welche Argumente, welche Mittel, welche Strategien sind wie anzuwenden? Die lebendige Vernunft kann also auch rein kopfmäßig und verstandes-rational vorgehen. Sie wird dabei aber nie rationalistisch sein, sondern das, was ihr der Verstand rät, wieder hinabsenken können auf die Herz- und Bauchebene. Das meine ich, wenn ich sage, dass die lebendige Vernunft in der Lage ist, zwischen Bauchgefühl, Herzenswahrnehmung und Kopfgedanken zu vermitteln. Lebendige Vernunft ist in diesem Sinne eine Kernkompetenz des integralen, vollsinnlichen Menschen.

Die Herzenswahrnehmung spielt hierbei die Schlüsselrolle. Die Lakota-Indianer haben für diese Art des Wahrnehmens sogar einen terminus technicus geprägt: „čante ishta", d.h. „Auge des Herzens". Wie es der Lakota-Schamane John Fire Lame Deer ausdrückte: „Ich wollte fühlen, riechen, hören und sehen, doch nicht nur mit meinen Augen und dem Verstand. Ich wollte sehen mit čante ishta – dem Auge des Herzens. Dieses Auge betrachtet die Dinge auf seine Weise."[41]

---

41 Lame Deer, J. F. u. Erdoes, R.: Tahca Ushte, a.a.O., S. 47.

Das „Auge des Herzens" ist in der Lage, die lebendige beseelte Natur und ihre abertausend Wesen zu vernehmen, weil es nicht, wie der analytische Blick des Verstandes, trennt: hier Gefühl, also Subjekt, also Mensch – dort Materie, also Objekt, also seelenloses Etwas. Das „Auge des Herzens" blickt mit Gefühl in die Natur und deshalb kann es auch die Gefühle und Ausdrücke der Natur selbst wahrnehmen, Zusammenhänge erkennen, wo der Verstand nur Getrenntes sieht. Dieses Auge vernimmt nicht Objekte, sondern lebendige Wesen, ihre Stimmungen, ihre Bedeutungen, ihre Gesichter und was sich an und durch sie ausdrücken und versinnbildlichen will. Und deshalb hat für dieses Auge auch ein jedes Naturphänomen ein ‚Gesicht'.[42] Ob es nun ein Wasserfall, ein Grashalm, ein Stern, ein Felsen, eine Wolke, ein Falke oder eine Spinne ist. Und genau deshalb ist dieses Auge in der Lage, die realsymbolisch-wesenhafte Ebene der Natur zu erfassen. Wie John Fire Lame Deer sagt: „In der Welt, die uns umgibt, sehen wir viele Symbole, die uns die Bedeutung des Lebens sagen. Wir haben so eine Redensart, daß der Weiße Mann so wenig sieht, weil er nur mit einem Auge zu sehen scheint. Wir sehen eine Menge Dinge, die ihr Weißen gar nicht mehr wahrnehmt, die ihr aber vielleicht doch wahrnehmen könntet, wenn ihr nicht zu beschäftigt wärt. Wir Indianer leben in einer Welt von Symbolen und Bildern, in der das Geistige und Alltägliche sich vereinen. Für euch sind Symbole nur gesprochene oder in ein Buch niedergeschriebene Worte. Für uns sind sie Teil der Natur, Teil von uns selbst, die Erde, die Sonne, der Wind, der Regen, Steine, Bäume, Tiere, und wenn es so kleine Insekten sind wie Ameisen oder Grashüpfer. Wir versuchen nicht, sie mit dem Kopf zu verstehen, dafür aber mit dem Herzen [...]. Was für euch wie ein Gemeinplatz aussieht, gewinnt durch seine Symbolik für uns einen besonderen Sinn. Das Merkwürdige ist, daß wir für Symbolik gar kein Wort haben, obwohl wir ständig damit leben. Ihr habt ein Wort dafür, aber das ist auch alles."[43]

Aber wie kam es dazu, dass wir überzivilisierten Menschen nur noch mit dem Auge des Verstandes sehen? Wie Derrick Jensen in seinem faszinierenden Buch „A Language Older than Words" aufdeckt, gibt es eine Sprache, die

---

42   ... und weil es ein ‚Gesicht' hat, kann man es auch um ein Gesicht (i.S. von Realvision) anflehen.

43 Lame Deer, J. F. u. Erdoes, R.: Tahca Ushte, a.a.O., S. 123 f.

weit älter ist und tiefer reicht als alle Wörter. „Es ist die Sprache der Körper, die Sprache, die Körper mit Körper, Wind mit Schnee, Regen mit Bäumen, Welle mit Stein spricht. Es ist eine Sprache aus Traum, Gestik, Symbol, Erinnerung. Wir haben diese Sprache vergessen. Wir erinnern uns nicht einmal, dass es sie gibt. [...] Wie die meisten anderen Kinder, so habe auch ich, als ich jung war, die Welt sprechen gehört. Sterne sangen. Steine hatten Vorlieben. Bäume hatten schlechte Tage. Kröten unterhielten sich angeregt [...]. Wie eine atmosphärische Störung im Radio, so begannen Schule und andere Arten der Sozialisation, meine Wahrnehmung der beseelten Welt zu irritieren. Und einige Jahre glaubte ich gar, nur Menschen würden sprechen. Die Kluft zwischen dem, was ich erfuhr und dem, was ich mehr oder weniger glaubte, verwirrte mich tief. Es dauerte lange, bis ich die persönlichen, politischen, sozialen, ökologischen und ökonomischen Implikationen dieses Lebens in einer zum Schweigen gebrachten Welt zu verstehen begann. Dieses Zum-Schweigen-Bringen ist für das Funktionieren und Agieren unserer Kultur zentral. Die standhafte Weigerung, die Stimmen der von uns Ausgebeuteten zu hören, ist die Voraussetzung ihrer Beherrschung. Religion, Wissenschaft, Philosophie, Politik, Bildung, Psychologie, Medizin, Literatur, Linguistik und Kunst sind alle vereinnahmt worden. Sie fungieren als Instrument des Zum-Schweigen-Bringens und der Abwertung von Frauen, Kindern, anderen Ethnien, anderen Kulturen, der Natur-Welt und ihrer Einwohner, unserer Gefühle, unseres Gewissens, unserer Erfahrungen und unserer kulturellen und persönlichen Geschichten."[44]

Muss man (mit Derrick Jensen) hinzufügen, dass dieses Zum-Schweigen-Bringen und diese Zuhör-Verweigerung weder mit Vernunft noch mit Erfahrung noch mit Moral zu rechtfertigen sind? Dass diese Art der Unterdrückung von lebendiger Erfahrung und Vernunft unmenschlich und lebenszerstörerisch ist?[45] Wenn wir aus diesem Teufelskreis von Verleugnung und Unterdrückung ausbrechen wollen, müssen wir neue Lebenswege beschreiten und wohl auch alte Lebensformen wieder neu entdecken. Viel können nen wir dabei von den archaischen und naturverbundenen Kulturen lernen,

---

44 Jensen, D.: A Language Older than Words, London 2002, S. 2 f. (Übersetzung hier und unten durch mich, R. J. K.)

45 Jensen, D.: a.a.O., S. 7.

die nach wie vor aufmerksam dem lauschen, was „Pflanzen, Tiere, Steine, Flüsse und Sterne zu sagen haben".[46] Denn: „eine wirkliche Welt wartet immer noch auf uns, eine Welt, die bereit ist, zu uns zu sprechen, wenn wir uns nur daran erinnern könnten, wie das mit dem Zuhören war."[47]

Im archaischen Ritus der Visionssuche, und damit schließe ich meinen Beitrag, steckt ein Teil dieser Erinnerung. Und deshalb ist diese Visionssuche – eben nicht in erster Linie als Suche nach dem Selbst, sondern als Suche nach einer Realvision oder einer Realstimme oder einem Realwink aus einer beseelten sprechenden Welt – so wichtig. Denn was hilft die tollste Selbstverwirklichung in einer Welt des Tot-Schweigens, in einer Welt der Hör-Verweigerung, in einer Welt der Unterdrückung und Ausbeutung? Andererseits: Was hilft die tollste Welt ohne ein authentisch gelebtes und bewusstes Selbst?

Deshalb: Von der Selbstverwirklichung zur Naturverwirklichung und zurück.

---

46 Jensen, D.: a.a.O., S. 16.

47 Jensen, D.: a.a.O., S. 7.

Über den Autor

Dr. Robert J. Kozljanic
Albunea-Verlag, München
Philosoph
Buchautor

Die da draußen versteh'n das ja nicht!
Plädoyer für eine pädagogische Erschließung des Visionären

Dr. Hans Geißlinger

„Nein, die würden doch alle dabei verrückt werden.
Da würden sich doch alle beschweren,
die nicht auf dieser Reise waren."

28 zehn- bis zwölfjährige Kinder werden von ihren Betreuern im Rahmen einer Ferienfreizeit danach gefragt, wie viele Stunden sie denn täglich vor ihrem TV-Apparat verbringen. Wozu? Nun, welches Kind schaut nicht gerne fern, scheitert jedoch des Öfteren am Widerstand der Eltern oder an der eigenen Müdigkeit. Die Antworten auf die Frage nach dem täglichen Fernsehkonsum fallen unterschiedlich aus. Drei Gruppen werden gebildet:

- Gruppe I – bis zu einer Stunde täglich,
- Gruppe II – ein bis vier Stunden,
- Gruppe III – zwischen vier und sechs Stunden.

Was Letztere betrifft, meinen die Erzieher, sei die täglich vor dem Fernseher verbrachte Zeit schon ganz ordentlich, aber im Grunde genommen, mit der Länge eines Tages verglichen, immer noch sehr mager. Man habe deshalb, so die Erzieher, sechs Fernseher mitgenommen, als Übungsgeräte sozusagen. Mit einem entsprechenden, fachgemäßen Training müsste sich die Fernsehzeit pro Person doch wesentlich verbessern, sprich, verlängern lassen.

Die Kinder sind Feuer und Flamme, zumal sie im Zusammenhang mit Fernsehen von Seiten ihrer Betreuer nun alles erwartet hatten – nur das nicht.

Am nächsten Tag beginnt das Training. Eine Reihe von Lehrgängen wird angeboten. Man wählt aus, schreibt sich ein. Während eine Gruppe von Kindern nach dem Frühstück mit Augenmuskeltraining beginnt (Hochsehen, Runtersehen, Rechtssehen, Linkssehen – als präventiver Schutz gegen vorzeitige Ermüdung), ziehen andere, mit zwei Meter langen Papprohren ausgestattet, auf die Spitze eines in der Nähe gelegenen Hügels: Fern-sehen, Trockentraining.

Ein echter Glotzist schaut alles. Das Programm, die Frage also, was im Einzelnen konkret gesendet wird, interessiert einen Profi nicht. Dagegen ist er immun. Sein Trick heißt: Bebildern. Während der normale Fernsehamateur sich vom Gerät bebildern lässt, bebildert der Profi selbst. Die auf dem Berg stehende Gruppe übt sich schon mal in Letzterem. Der weite, d.h. ferne, durch das Papprohr gerichtete Blick ins tiefe Tal gilt dem ersten Ausbildungsgang für professionelles Bebildern.

„Über dem Bach da unten" beschreibt ein durch das Übungsgerät schauendes Mädchen, „liegt ein fischähnlicher, grüner Tiger." Andere bebildern eine Heuwiese mit zwei Zebraherden, eine in der Ferne stehende Eiche mit einem Schwarm von Papageien. Während die Trainingsgruppe „Adlerblick" auf diese Weise den ganzen Nachmittag hindurch ihre Bebilderungsfähigkeit perfektioniert, machen sich sechs andere Kinder im Keller an den Eingeweiden eines Fernsehgeräts zu schaffen. Der Grund ist einfach: Obwohl man oft genug noch fit wäre, die vor der Glotze verbrachte Zeit um ein, zwei Stündchen zu verlängern, setzt einem hin und wieder die Tücke der Technik Grenzen. TV-Geräte sind störanfällig, und ein telefonisch benachrichtigter Reparaturdienst braucht oft Stunden, wenn nicht Tage, um den alten Zustand wiederherzustellen. Da aber die Ausfallzeiten so gering wie möglich gehalten werden sollen, gibt es nur eines: selbst Hand anlegen, den Fehler finden und beseitigen. Dies erfordert Wissen und Kenntnis; deshalb die Einrichtung eines Schnelllehrgangs für High-Tech-Hacker.

Ausbildungsgang zwei im Bebildern erweist sich als weitaus komplizierter als gedacht. Ein Kuhstall wird für die Länge eines Nachmittags gemietet; pro Kind eine Kuh. Dreißig Kühe stehen – Auge in Auge – dreißig vor ihnen sitzenden Kindern gegenüber. Die großen Rohre zur Tal-Bebilderung sind kleinen Toilettenrollen gewichen. Das für fortgeschrittene Glotzisten konzipierte TV-Trockentraining erfordert das Bebildern einer Kuhpupille, und damit das

Gespür des Profiglotzers für die seelische Befindlichkeit des ihm gegenüberstehenden Tieres. Die Ergebnisse des Tests sind atemberaubend, zeigen, dass auch Kühe in der Lage sind, ihrem Liebeskummer Ausdruck zu verleihen; bei einer konnte sogar ihr Geburtstag abbebildet werden.

Gegen Abend kommen die ersten mitgenommenen, batteriebetriebenen Fernsehgeräte zum Einsatz. Es geht um die Anpassung von Innen und Außen, also von Fernsehwelt und Nicht-Fernsehwelt. Zehn Kinder liegen im technischen Maschinengewirr eines Mähdreschers und verfolgen aufmerksam eine in dem ebenfalls dort installierten TV-Gerät ausgestrahlte Sendung über Mähdrescher. Ähnliche In- und Outputversuche werden auch mit Hilfe eines Liebesfilmes in einer mit Flieder dekorierten Waldlichtung durchgeführt.

Nach zwei Tagen hat die erreichte Fernseherfahrung der Teilnehmer den Amateurzustand weit hinter sich gelassen. Ein Fernsehmarathon folgt. Hier kommt es nicht darauf an, was man sieht, sondern, dass man sieht und wie lange man durchhält – die Kernfrage für den Profiglotzer. Die Teilnahme ist freiwillig. Drei Studios werden, über die Stockwerke eines Hauses verteilt, für den Wettkampf eingerichtet.

Studio I: Erster Stock: für Kinder mit relativ wenig TV-Erfahrung; ausgestattet wie ein Kino; Stuhlreihen, ein Vorhang, dahinter ein Fernseher – auf bunte Pappe gezeichnet. Untermalt wird das Interieur mit Klaviermusik.

Studio II: Zweiter Stock: 60er Jahre Wohnzimmeratmosphäre. Gummibaum. Die TV-Erprobte-ren (gefordert ist eine mittlere tägliche Fernseherfahrung) haben es hier bereits mit einem echten Fernseher zu tun. Der Apparat steht auf einem Tischchen mit Häkeldecke, dazu die klassische Wohnzimmerlampe. Allerdings ist das Gerät kaputt. Untermalung: Klaviermusik.

Studio III: Dritter Stock: die Abteilung für die Cracks; Technik-Dekor; der Boden mit Matratzen belegt. Hier ist nicht nur ein wirklicher Fernseher, er funktioniert sogar; umrahmt von einer Wand aus Metallplatten. Die Teilnehmer werden beim Betreten des Raumes mit dem Licht eines Stroboskops empfangen. Beim Start des Marathons geht das Blitzlicht aus, der Fernseher an: Flimmern und Rauschen. Das ist nur etwas für abgebrühte Fernsehfreaks. Hier ist allerdings die größte Anzahl der Kinder versammelt.

Verhaltensregeln: Ein echter Glotzist spricht nicht beim Fernsehen, er verlässt weder seinen Platz, noch dreht sich sein Kopf in eine Richtung, in der kein Fernsehgerät steht. Damit sind die Bedingungen des Wettbewerbs klar. Gereicht werden drei „TV-Verpflegungs-Sets", die man durch Handheben beim jeweiligen Betreuer des Studios ordert. Ein Set besteht aus drei Salzstangen und 0,2cl Cola. Die Einteilung der Sets über die Zeit des Wettbewerbs ist jedem individuell überlassen. Der Marathon ist mit offenem Ende angesetzt, soll allerdings zu den Mahlzeiten unterbrochen werden.

Start, 20.00 Uhr. Vorbesprechung. Das Betreuerteam ist sich sicher, dass unter diesen Bedingungen kein Kind länger als dreißig Minuten vor dem Nichts sitzen wird. Drei Erzieher rechnen mit weniger.

Tagebuchaufzeichnung eines Kontrollorgangs

Studio Drei, 1.43 Uhr morgens
Die absolute Absurdität: Die Kids sitzen vor einer Glotze, die ihres sämtlichen Inhalts beraubt wurde und sie verhalten sich wie vor einer echten. Ich, einer der Betreuer, sitze hier im Flimmerzimmer, penetrant dem Schnee-Flimmern und Rauschen ausgesetzt, bin gleichzeitig Kontrolleur und Servicekraft in einem. (...)

Wir haben fünf Stunden und siebenundfünfzig Minuten hinter uns. (...) Vor einer halben Stunde gab es eine Pinkelpause. Ich habe beim Zurückkommen das Gerät wieder eingeschaltet: Flimmern mit Strich. Vorher war kein Strich im Bild. Die Kids baten mich, wieder das „andere Programm", also Flimmern ohne Strich, einzuschalten. Warum? „Da ist mehr los!" Das muss man sich mal im Geiste zergehen lassen. (...) Sie sitzen mit gespannter Aufmerksamkeit, wie bei einer Fußball- oder Krimiübertragung. Ich selbst beginne aus dem Rauschen Stimmen zu hören. Sind wir zu weit gegangen? Aber es ist schon so zu ihrer Sache geworden, dass man ihnen mit dem einfachen Abschalten des Fernsehers direkt etwas nehmen würde.

Interview mit den Siegern des TV-Marathons Tonbandprotokoll (Auszüge)

Ernesto(ein Betreuer): Ich finde es geradezu erstaunlich, wie lange ihr vor diesen Bildschirmen durchgehalten habt. Bei Kai und Steffen vom Studio Drei waren es 6 Stunden und 24 Minuten, bei Kora (Studio Zwei) 3 Stunden 48 Minuten und bei Enis (Studio Eins) 2 Stunden und 15 Minuten. Enis, du hast vor einem Fernsehgerät gesessen, das es eigentlich gar nicht gab. Es war nur eine ...

Enis: ... Attrappe!

Ernesto: (...) Kannst du dich noch erinnern, was du dabei gesehen hast?

Enis: Ich habe nur die Punkte gesehen und gezählt.

Ernesto: Du hast zwei Stunden lang nur Punkte gezählt!?

Enis: Ja – und die Striche.

Ernesto: Die aufgemalten Schaltknöpfe, die hast du gezählt?

Enis: Ja. Alles habe ich gezählt, alles was dran war.

Ernesto: Kommen wir zu Kora.

Kora: Als noch alle im Studio Zwei waren, habe ich sie im Fernseher sitzen gesehen. So ein bisschen spiegelt sich das ja auch. Als nur noch Bernhard drinnen saß, habe ich ... ich weiß nicht ... angefangen, mich selbst im Fernseher zu sehen. Ich saß da ganz in Weiß auf einem weißen Sofa in einem Restaurant und war ... irgendwie schon komisch ... erwachsen. Bernhard ist auch erwachsen und sitzt in einem Frack hinter meinem Tisch. Er sieht immer zu mir her. Irgendwann später, als ich dann wieder daran gedacht habe, lag er aber schon tot auf dem Tisch, so rübergebeugt ... und ich lag tot auf dem Sofa.

Ernesto: Das hast du alles in einem Fernseher gesehen, der nicht funktionierte?

Kora: Ja, weil sich da ja immer noch so ein bisschen drin spiegelt.

Ernesto: Du bist am Ende, weil du die letzte im Studio Zwei warst, in das Dreier Studio gegangen.

Kora: Ich wusste, dass da so ein Flimmern ist. Am Rand von diesem Flimmern war auch immer so ein Streifen, der sich ganz komisch bewegte. Anfangs dachte ich, das wäre so ein galoppierendes Pferd, ... die Lanze von einem Reiter.

Kai: Ja!

Steffen: Ja, und der jagt Tiere. Einmal habe ich auch gedacht, ich wäre ein Rennfahrer und das wär' die Straße. Ich würde da langfahren ...

Kai: Ich hab nicht nur Bilder gesehen, sondern Leute, die reiten. Menschen, die beim Fußball sitzen und mit der Hand immer rauf und runter gehen. Wie das andere Programm eingeschaltet wurde, da dachte ich, das ist eine Eisenbahn, die aus den Geleisen gefahren ist und wieder versucht reinzukommen.

Steffen: Ich habe auch eine Demo gesehen. Alles lauter Leute, die rennen, wegrennen, weil die Bullen sie umkreisen.

Kai: Einmal auch so wie bei einem Stummfilm. Obwohl es ja immer gerauscht hat.

Ernesto: Habt ihr keinen Moment daran gedacht, dass es doch völlig bescheuert ist, was ihr da macht?

Kora: Weiß nicht. Es hat irgendwie Spaß gemacht, davor zu sitzen.

Ernesto: Könnt ihr euch vorstellen, wenn ihr jetzt woanders hinkommt, wo ein richtiges Programm läuft, dass ihr sagt: Bitte schaltet mal auf das Flimmern um?

Kai: Ja, kann ich mir vorstellen.

Kora: Besser noch, dass ich den Fernseher ausmache und mich vier Stunden davorsetze.

Ernesto: Jetzt habe ich noch eine Frage. Ihr wisst, dass das Fernsehen Millionen von Mark ausgibt, um irgendein Programm zu gestalten.
Trotzdem gibt es nach wie vor viele Menschen, die mit dem Programm unzufrieden sind. Wäre es nicht möglich, einen Tag in der Woche einzuführen, an dem nur Flimmern auf allen Kanälen läuft? Könntet ihr euch das vorstellen?

Kora: Ja.

Steffen und Enis (gleichzeitig): Ja.

Kai: Nein, die würden doch alle dabei verrückt werden. Da würden sich doch alle beschweren, die nicht auf dieser Reise waren.

Enis: Stimmt, die da draußen versteh'n das doch nicht!

Plädoyer für eine pädagogische Erschließung des Visionären

Die Pädagogik ist eine alte, hochgewachsene Dame und wenn etwas von ihr mit dieser Grenzgängerei zu tun hat, dann höchstens ihr kleiner linker Zeh. Der restliche Teil ihres Körpers steht fest auf der Seite der vermeintlichen Tatsachen. Um diesen einen Zeh herum jedoch hat sich im Laufe der Zeit ein kleines, wildes Reservat gebildet. Nachts schleusen pädagogische Fluchthelfer Gruppen von Menschen durch geheime Tunnelgänge über die

Grenze und wenn sie dann am nächsten Morgen mit leuchtenden Augen, erschöpft und müde zurückkehren, tippt die gute alte Dame den Ausreißern besorgt auf die Schultern und fragt: Was haben sie denn gelernt bei euch, die Kleinen?

Als ob eine gut verbrachte Zeit für sich gesehen keinen Wert hätte; als ob die Dinge, die wir tun, nur dann einen Sinn bekämen, wenn sie in die Kausalität eines „Um-Zu" eingebettet werden; als ob menschliches Verhalten nach dem Prinzip von Input und Output funktionierte und sich entwickelte; und als ob es die eine, wirkliche Wirklichkeit gäbe und die vornehmste Aufgabe der Pädagogen darin bestünde, die Neu- und Jungankömmlinge unserer Gesellschaft so schnell wie möglich dort sesshaft zu machen.

Der Mensch, schreibt Peter Sloterdijk, ist ein Möglichkeitstier. Wir sind nicht eingeschmolzen in eine bestimmte, unveränderbare Umwelt, sondern treten zugleich aus ihr heraus und wittern das Offene. Stets sind wir von der Ahnung ergriffen, dass die uns umschließenden Gegebenheiten nur eine aktuelle Variante von vielen möglichen sind. Vielleicht lohnt es ja, für kurze Zeit die Augen zu schließen und sich das Unternehmen Pädagogik einmal anders zu denken – als Geburtshelfer eines Möglichkeitsraums.

Es mag für Liebhaber klarer Verhältnisse etwas verwirrend klingen, aber der Aggregatzustand des Wirklichen ist flüssig. Dies lässt sich nirgendwo besser beobachten, als dort, wo die Grenze zwischen dem Reich des Wirklichen und dem des Möglichen verläuft, dort also, wo jener aus Gedanken gewobene Stoff entsteht, den wir „Einbildung" nennen. Aus ihm schneidern wir unsere zukünftigen Ereignis-, Interpretations- und Identitätsräume. So gesehen liefert das heute Mögliche das Material zum Erweiterungsbau des morgen Wirklichen. Die Grenze zwischen beiden Sektoren ist also nicht nur durchlässig – nein, sie wandert, und dies auf Grund einer Eigenschaft, deren Besitz zum wesentlichsten Charakteristikum des humanen In-Der-Welt-Seins zählt: die Eigenschaft, sich etwas vorzumachen. Diese Fähigkeit, ob wir sie nun Möglichkeitssinn, Kreativität oder Autosuggestion nennen, ist die Triebfeder jeglicher menschlichen Praxis: Nur wer in der Lage ist, sich etwas vorzumachen, wird auch in der Lage sein, in seinem Leben etwas vorhaben zu können.

Was das alles mit Pädagogik zu tun hat? Leider immer noch sehr wenig, schließlich denkt die alte Dame, auf dem Boden einer für alle verbindlichen Wirklichkeit zu stehen und von dort aus Weisungen formulieren zu können. So gesehen fühlt sie sich auch für nahezu alles verantwortlich, was sich in unserer Gesellschaft an Negativ-Verhalten so ereignet. Es stünde ihr weit besser zu Gesicht, sich von dieser maßlosen Selbstüberschätzung zu verabschieden und stattdessen klar und deutlich zu formulieren, was sie kann und wo ihre Grenzen liegen. Dies würde allerdings bedeuten, von den allzu schnell gegebenen Antworten zu den Fragen zurückzukehren und nicht in vorauseilendem Gehorsam den Anforderungen der medialen Gesellschaft zu genügen zu suchen

Schließlich siedelt die Erziehungswissenschaft nicht im Zentrum eines Tatsachenraums. Pädagogische Veranstaltungen sind konstruierte

Lebensformen, organisiert als Sprach- und Gesellschaftsspiele, in denen sich immanente Rituale und Verhaltensmodi, Formeln und Signale ausbilden. Das Feld der Pädagogik erweist sich als relativ geschlossenes System, in dem Wort und Wirklichkeit eng aneinanderkleben. Wenn beispielsweise Pädagogen ein Ensemble von Baumstämmen zum Abenteuerspielplatz erklären, bewegen sie sich innerhalb dieses Sprachspiels und der pädagogische Konsens blendet hier elegant aus, was unschwer zu erkennen ist: dass Kinder dort alles Mögliche erfahren werden, mit Sicherheit jedoch kein Abenteuer. Dieser Blickwinkel ließe sich auf vieles anwenden, das innerhalb der Pädagogik als vermeintlich empirische Erkenntnis in Erscheinung tritt: Wer sagt, dass Kunstunterricht, also verschultes Zeichnen und Malen, das spontane Zeichnen und Malen fördert und nicht verdirbt; wer sagt, dass verordnete Lektüre die Lust auf Lesen steigert und nicht hemmt, und wer sagt, dass veranstaltetes Spiel die Phantasie entwickelt und nicht bremst?

Kreativität lässt sich nicht in den Dienst einer herrschenden Ordnung oder gegebenen Einrichtung stellen, sie beugt sich keiner Zweck-Nutzen-Kausalität. Und genau hier liegen die Chancen einer zukünftigen Pädagogik verborgen. Anstatt noch mehr Ordnungen, fertige Lösungen, noch mehr Perfektion und System, noch mehr Spielzeug und Gerät zu liefern, könnte sich die Pädagogik als eine Einrichtung begreifen, die den Menschen gegenüber seinen Sach- und Systemzwängen stärkt, ihn befreit von dem lähmenden Gemisch aus Angst und Bequemlichkeit und ihm Erfahrungsräume öffnet, die in ihm die Lust auf Bewältigung und Bewährung wecken. Dazu wiederum müsste die Pädagogik ihre eigenen Fiktionen hinter sich lassen und sich der Vielfalt konkreter individueller Lebenskonzepte zuwenden.

Die moderne Konzeption von Individualität steht contra Routine und Repetition. Je gleichmäßiger das Leben fortschreitet, je weniger sich das Empfinden von seinem Durchschnittswert entfernt, desto geringer ist das Gefühl von Persönlichkeit. In dem Maß, in dem das Angebot der Massenkultur wächst, reduzieren sich parado-xerweise auch die Möglichkeiten, dieser Kultur Individualität abzuringen. Was bleibt, ist der Ausbruch – lieber Skinhead als gar nichts. Wenn Jugendliche das öffentliche Transportmittel S-Bahn zweckentfremden und es als Surfbrett benutzen, dann konstruieren sie sich eine Wirklichkeit, die ihnen ein reales Erleben von Spannung ermöglicht.

Indem Jugendliche sich auf Ausbruchsrouten begeben, suchen sie in Gedanken das zu konstruieren, was für sie in dieser Welt nicht sichtbar ist. Dies erklärt, warum „Ausbruch" und „Grenzüberschreitung" zu einem nicht mehr wegzudenkenden Charakteristikum jeglicher Jugendkultur geworden sind. Sie sind ein an den Bedingungen moderner Kultur orientierter Versuch zur Herstellung eines Gefühls von Differenz, als wesentliches Kriterium erlebter Individualität. Die pädagogische Frage wäre also nicht, wie solche Ausbrüche verhindert werden könnten, sondern welche Mittel und Wege ge- oder erfunden werden müssten, um Ausbrüche zu ermöglichen – und zwar auf eine Weise, die niemandem zum Schaden gereicht.

Was hindert uns daran, dieses Feld neu zu vermessen und – anstatt flächendeckender Programme zur Verbesserung von Mensch und Gesellschaft – eine auf die Konkretheit individueller Lebensentwürfe bezogene Vielfalt an Formen und Konzepten zu entwickeln. Schließlich wird Pädagogik, wie der Erziehungswissenschaftler Heinrich Kupffer schreibt, dort wirksam, wo Menschen unter unverwechselbaren Umständen mit anderen in Beziehung treten. Ihr „Raum" ist der Raum der Person, ausgestattet mit all den Sehnsüchten, den Projektionen, den Hoffnungen und Ängsten – mit all dem, was kleine und große Menschen sich für gewöhnlich vormachen, um in dieser Welt etwas vorhaben zu können.

Vielleicht wäre es langsam an der Zeit, der Welt wieder ein Geheimnis zu geben, anstatt weiter, im Auftrag der Moderne, aus ihr alle guten und bösen Geister zu vertreiben.

Schließen wir für einen Moment die Augen und stellen uns vor, was wäre, wenn über dem Tor zur Pädagogik einmal eine Modifikation jenes berühmten Satzes des delphischen Orakels erscheinen würde, der zu allen Zeiten Fragen an Stelle von Antworten hervorbrachte: Erspiele dich selbst! Darunter könnte dann ganz klein der offizielle Titel stehen: Pädagogik – Eine Einrichtung zur Ausbildung von Einbildung.

Über den Autor

Dr. Hans Geisslinger
Storydealer, Berlin
Diplom Sozialpädagoge
Diplom Soziologe
Dozent an der Freien Universität Berlin/Institut für Soziologie;
Dozent an der Humboldt Universität zu Berlin/Institut für europäische Ethnologie;
Arbeits- und Forschungsschwerpunkt: Konstruktivismus, Kultursoziologie,
Kommunikations- und Handlungstheorien

Möglichkeiten und Grenzen des Einsatzes erlebnispädagogischer Methoden in psychotherapeutischen Settings

Prof. Dr. Ulrich Lakemann

1. Einleitung

Die Erlebnispädagogik hat sich in den letzten Jahrzehnten in der sozialen Arbeit und darüber hinaus als eine wichtige pädagogische Methode entwickelt. Typische Anwendungsbereiche liegen in der Förderung von Kindern und Jugendlichen beispielsweise in Schule und Jugendhilfe, oder bei Erwachsenen mit dem Ziel der Persönlichkeits- oder Teambildung zum Beispiel in Outdoor-Trainings.

Bisher noch vergleichsweise selten wird die Erlebnispädagogik in der Therapie für Menschen mit psychischen Störungen oder Suchterkrankungen eingesetzt. Erste Beispiele dazu lieferte das Langzeitprojekt mit drogenabhängigen Jugendlichen „Die Wildnis in mir" von Monika Flückiger.[48] Auch in der Klinik Wollmarshöhe,

---

48 Flückiger Schüepp, M.: Die Wildnis in mir: Mit Drogenabhängigen in den Wäldern Kanadas, 1. Aufl., Sandmann, Alling 1998.

über die später noch näher zu berichten sein wird, oder in der Fontane-Klinik begann man relativ früh mit dem Einsatz erlebnispädagogischer Methoden.[49] Schließlich lieferte ein Pilotprojekt in der Klinik Pniel für mittelfristige psychiatrische Behandlung zahlreiche Wirkungsimpulse, die später ebenfalls noch ausführlicher dargestellt werden.[50]

Trotz der erkennbaren Erfolge ist die Anwendung erlebnispädagogischer Methoden in der Sucht- und Psychotherapie aber immer noch Neuland. Dies mag auch daran liegen, dass Pädagogik und Therapie nicht nur aus unterschiedlichen wissenschaftlichen Disziplinen kommen, sondern die Zielrichtungen sich stark unterscheiden können. Eine Therapie hat im Gegensatz zur Pädagogik die Revision bereits vorhandener Strukturen zum Ziel, ohne dass allerdings eine genaue Vorstellung, wie dieses Ziel auszusehen hat, unbedingt von vornherein entwickelt sein muss. Das Ziel therapeutischer Arbeit ist aber die Veränderung eines als unerwünscht definierten Zustandes. Im Gegensatz dazu ist Pädagogik eher als Entwicklungsförderung zu verstehen, bei der an vorhandene Strukturen angeschlossen wird und bereits begonnene Prozesse unterstützend fortgeführt werden. Dies bedeutet nicht zwangsläufig, dass nicht auch in der pädagogischen Arbeit einzelne Denk-, Fühl- oder Handlungsmuster revidiert werden können oder sogar müssen. Die Revision vorhandener Muster ist aber selten so weit reichend wie in einer Therapie.

---

49 Mehl, K.W.; Wolf, M.: Erfahrungsorientiertes Lernen in der Psycho-therapie. Wirkimpulse durch psychophysische Expositionen (Hoch-seilgarten) bei Psychotherapiepatienten im Rahmen eines stationä-ren multimethodalen Behandlungskonzeptes. Ergebnisse einer prospektiven kontrollierten Evaluationsstudie. infer: Institut für Er-fahrungslernen (Hrsg.), 2. Aufl., Bodnegg 2009.

Fontane-Klinik (Hrsg.): Erlebnistherapie. Ein innovativer Weg in der psychotherapeutischen Arbeit. Beiträge zur 2. Fachtagung Erlebnis-therapie in der Fontane-Klinik, Motzen 1998.

50 Lakemann, U.; Koppmann, L.: Erlebnispädagogik in der Rehabilita-tion psychisch kranker Menschen. In: Ferstl, A.; Scholz, M.; Thiesen, Ch. (Hrsg.): Menschen stärken für globale Verantwortung, Ziel-Verlag, Augsburg 2008, S. 218–233.

2. Grundsätzliche Überlegungen

Ähnlich wie bei anderen Zielgruppen bildet die erlebnispädagogische Aktion im Sinne einer kontextuellen Intervention[51] einen
Rahmen, in dem ein Erlebnis als Gruppe und Individuum möglich wird. Bei
einem Erlebnis findet eine vergleichsweise außergewöhnliche, emotional geprägte innere Verarbeitung einer äußeren Situation statt. Dies ist mit
Veränderungsimpulsen verbunden, deren Folgen für Gruppen und Personen
aber nicht in allen Konsequenzen vorhersagbar sind. Um innerlich verarbeitet zu werden, muss der äußere Impuls für ein psychisches oder soziales
System einen Sinn haben. Er wird nur dann eine Systemgrenze überwinden,
wenn er an andere systemspezifische Operationen anschlussfähig ist. Dies
können beispielsweise biografische Klärungsprozesse sein, ebenso wie grup-
peninterne Konfliktbearbeitungen oder die Unterstützung bei der Suche nach
der Lösung für ein Alltagsproblem.

2.1 Zielgruppen

Menschen, deren Wahrnehmungs- und Kommunikationsfähigkeiten
durch eine Krankheit akut gestört sind, werden in einer solchen Phase die
erforderlichen reflexiven Leistungen nur schwer erbringen können. Eine
Erlebnispädagogik im psychotherapeutischen Kontext richtet sich deshalb
vor allem an Menschen, die akute Stadien ihrer Krankheit überwunden
haben, oder bei denen es möglich ist, aufgrund einer gezielten medika-
mentösen Behandlung deren Wiederkehr weitestgehend zu vermeiden. Es
geht um Menschen, die eine Rehabilitation anstreben und bei denen diese
aus medizinischer Sicht auch möglich ist.

Gerade bei dieser Zielgruppe stehen die Vorzeichen auf Veränderung. Die
psychische Krise ist dabei ein Zeichen für Destabilisierung und Fehlanpassung
an gesellschaftliche Anforderungen. Grundsätzlich könnte dies auch eine
Quelle für Flexibilität, Kreativität und neue Sichtweisen sein. Bei den meisten

---

51 vgl. Willke, H.: Systemtheorie II: Interventionstheorie, 3. Aufl., Stuttgart 1999, S. 214, S. 246
ff.

psychisch erkrankten Menschen ist allerdings eher das Gegenteil der Fall: Angst, Kontrollverlust und Stigmatisierung seitens der Umwelt sind in der Regel die Folgen.[52]

2.2 Reframing und Metaphern
Die erlebnispädagogische Aktion eröffnet diesen Menschen im Sinne eines „reframing" einen neuen Rahmen. Allein der Wechsel des räumlichen Kontextes bedeutet, dass Patienten die Klinik oder das Sprechzimmer des Therapeuten verlassen, sich typischerweise in die Natur begeben und dadurch neue Perspektiven erlangen. Die neuen Sinneseindrücke können zum Aufbrechen eingefahrener Muster beitragen.

Auch durch die teilweise spielerische Anlage erschließt sich eine neue Realitätsebene jenseits von Klinik und Krankheit. Gleichzeitig liefern viele erlebnistherapeutische und -pädagogische Aktionen zahlreiche mögliche Metaphern, durch die sich die bereits angesprochene Anschlussfähigkeit zwischen äußerer Situation und innerer Verarbeitung verstärken lässt. In der Konsequenz erhöht sich die Chance einer Überprüfung und gegebenenfalls Veränderung von Wahrnehmungs- und Interpretationsmustern, die sich verselbstständigt haben und die einem Umgang mit neuen Erfahrungen im Weg stehen.[53]

2.3 Selbstwirksamkeit
Mit dem neuen Rahmen und der Notwendigkeit in erlebnispädagogischen Aktionen aktiv zu werden, eröffnet sich für „Patienten", die sich allzu häufig medizinisch oder juristisch getroffenen Entscheidungen ausgeliefert sehen, eine neue Chance für das Erleben von Selbstwirksamkeit. Im Gegensatz zu Alltagssituationen sind erlebnispädagogische Aktionen in der Regel weniger komplex. Dadurch kann das eigene Verhalten mit den Wirkungen, die es auslöst, deutlicher hervortreten. Da die erlebnispädagogische Situation kein reines Spiel- oder Fantasiegebilde aber auch keine reine Ernstsituation ist,

---

52 vgl. Lakemann; Koppmann, a.a.O., S. 228.

53 vgl. auch Gilsdorf, R.: Von der Erlebnispädagogik zur Erlebnisthera-pie. Perspektiven erfahrungsorientierten Lernens auf der Grundlage systemischer und prozessdirektiver Ansätze, EHP, Bergisch Glad-bach 2004, S. 386.

eröffnet sie gerade Menschen mit psychischen Störungen ein produktives Spannungsfeld für die Erprobung ihrer Selbstwirksamkeit und einen neuen Zugang zu ihren Emotionen.[54] So zeigt beispielsweise auch Konrad,[55] dass in seinen erlebnistherapeutischen Maßnahmen fast alle Teilnehmer von einer aktivierenden Wirkung berichten, die sich vor allem ausdrückt im Gefühl der Teilhabe, der Fähigkeit selbst etwas zu gestalten, der Möglichkeit sich auszuprobieren, sich freiwillig für oder gegen etwas zu entscheiden und Grenzen auszutesten.

2.4 Kontrasterlebnisse

Anknüpfend an die Stärkung der Selbstwirksamkeit kann die Erlebnistherapie auch Erlebnisse vermitteln, die einen Kontrast zu den Erscheinungsweisen der Krankheit darstellen. Lukowski[56] stellt in seinem Aufsatz zum therapeutischen Klettern Folgendes fest: Klettern ist eine Konfrontation mit Angst und mit der Frage, ob man dazu in der Lage ist, sich fallen zu lassen. In diesem Sinne eignet es sich als Kontrasterlebnis vor allem für Menschen, deren Leben sich bisher durch eine hohe Kontrollierbarkeit und Planbarkeit ausgezeichnet hat. Die Konfrontation mit der Grundangst des Fallens kann dazu beitragen, dass andere angstauslösende Situationen in ihrer realen Relevanz vom Patienten wieder besser eingeschätzt und eingeordnet werden können. Ähnlich wie in der Schmerztherapie beim Schmerz wird beim therapeutischen Klettern das „Tor" zur Angstwahrnehmung massiv verkleinert.

---

54 vgl. auch Adler, M.; Kovert, K.; Roling, F.: Erlebnispädagogik zur Prävention psychischer Erkrankungen. In: e&l. erleben und lernen, Heft 3, 2010, S. 4–7.

55 Konrad, G.: Experten fürs Leben. Erlebnispädagogik mit Menschen mit psychiatrischen Erfahrungen: Ein Ringen in der Betreuungsbe-ziehung. In: e&l. erleben und lernen, Heft 3, 2010, S. 8–14.

56 Lukowski, T.: Therapeutisches Klettern. In: e&l. erleben und lernen, Heft 3, 2010, S. 19–21.

2.5 Die Beziehung zwischen Therapeuten und Patienten

Die gemeinsame erlebnispädagogische Aktivität von Patienten
und Therapeuten verändert die
wechselseitige Wahrnehmung zum
Positiven: Beide nehmen sich nicht
mehr so stark in der ihnen institu-
tionell zugewiesenen Rolle wahr.
Dies fördert die Kooperation in der
Betreuungsbeziehung, ohne dass
die ursprünglichen Rollen völlig
außer Kraft gesetzt würden.[57]

Gilsdorf[58] charakterisiert dabei
die Rolle des Therapeuten folgen-
dermaßen: „Idealerweise vermitteln TherapeutInnen mit ihren
Interventionen eine Haltung der
Non-Intervention, eine Haltung,
die zunächst und vor allem auf die
Erkennung und Anerkennung dessen was ist zielt."

2.6 Sprache und Bewusstsein

Im Kontrast zu sprachbasierten therapeutischen Ansätzen erlaubt es die
erlebnistherapeu tische Situation aufgrund ihrer Ganzheitlichkeit, nicht oder
nur schwer in Sprache zu fassende Erfahrungen wahrzunehmen. Anders als
beispielsweise in der Gesprächstherapie können Eindrücke und Erlebnisse
auch dann in Erfahrungen münden, wenn sie nicht oder nur in Ansätzen zu

---

57 10 vgl. Konrad, a.a.O., S. 9

58 a.a.O., S. 421

verbalisieren sind. Gilsdorf[59] schildert beispielsweise erlebnistherapeutische Situationen, die durch ihre Direktheit nicht in einem Gespräch aufgearbeitet werden müssen, sondern unterbrochen und unmittelbar reflektiert werden können („freezing"). Diese Reflexion in der Aktion stellt auch eine Alternative zum bekannten Aktions-Reflexions-Modell dar. Eine Unterbrechung der Situation ist aber nur dann sinnvoll, wenn es sich um ein Schlüsselerlebnis mit hohem kognitiven und emotionalen Wert handelt.

2.7 Wirkungsimpulse und Transfer

Hinsichtlich der Wirkungsimpulse und des Transfers eröffnen erlebnistherapeutische Situationen darüber hinaus zahlreiche Potentiale für die bereits angesprochene innere Verarbeitung äußerer Situationen. Im Anschluss an Gilsdorf[60] muss im therapeutischen Kontext aber vor einer hohen Anspruchshaltung hinsichtlich des Transfers gewarnt werden. Um einen Transfer zu messen, müssen Erlebnisse sprachlich in Ergebnisse übersetzt werden. Dies ist beispielsweise vorbewussten Zuständen allerdings gar nicht angemessen. Die moderne Hirnforschung hat gezeigt, dass Amygdala und Nucleus accumbens einen weitaus stärkeren Einfluss auf unser Verhalten haben, als ursprünglich angenommen.[61] Quasi rationale Verbalisierungen sind oftmals nur nachträgliche Versuche, intuitives Entscheiden und Verhalten zu „erklären". Die Gefahr im therapeutischen Prozess ist, dass man aufgrund einer falsch verstandenen Erfolgsorientierung vorschnell nach einem kognitiv fassbaren Transfer sucht. Kraus und Schwiersch bezeichnen eine solche Fixierung auf den Transfer als einen „... Angriff der mutgemaßten Zukunft auf die Gegenwart."[62]

---

59 a.a.O., S. 437 ff.

60 a.a.O., S. 525 ff.

61 In Verbindung zur Erlebnispädagogik vgl. dazu: Heckmair, B.; Michl, W.: Von der Hand zum Hirn und zurück. Bewegtes Lernen im Fokus der Hirnforschung, Ziel-Verlag, Augsburg 2013, S. 13 ff.

62 Kraus, L.; Schwiersch, M.: Die Sprache der Berge. Handbuch der alpinen Erlebnispädagogik, Ziel-Verlag, Augsburg 1996, S. 405.

3. Zwei Praxisbeispiele

Im Folgenden sollen die grundsätzlichen Überlegungen zur Erlebnistherapie durch zwei Praxisbeispiele ergänzt werden, in denen einige Umsetzungsaspekte deutlich werden.

3.1 Die Wollmarshöhe

In der Klinik Wollmarshöhe am Bodensee werden Patienten mit psychosomatischen Beeinträchtigungen behandelt. Das zentrale therapeutische Medium der Klinik ist ein Hochseilgarten. Außerdem werden mit Nähe zur Erlebnispädagogik das therapeutische Bogenschießen, ein eintägiger, durch Fasten begleiteter Aufbruch in die Natur (Medizinreise), therapeutischer Stockkampf und ein Niederparcours angeboten.

Wenn bei der Behandlungsplanung die Entscheidung für den Hochseilgarten fällt, findet eine erste Exposition in der Regel mit einer Gruppe von fünf oder sechs Patienten, zwei Sicherheitstrainern und einem Psychotherapeuten statt, wobei auch die Sicherheitstrainer psychologisch vorgebildet sind. Die Exposition liefert bereits eine Menge an Informationen über den jeweiligen Patienten, beispielsweise durch seine Körperhaltung.

Mit dem Hochseilgarten lassen sich metaphorisch noch erheblich mehr Elemente bearbeiten als nur das oftmals zuerst damit assoziierte Thema Angst. Das Ziel im Auge behalten, den ersten Schritt wagen, loslassen können, Sicherheitsfragen und natürlich der Umgang mit Angst sind Metaphern, die für einen Transfer nutzbar sind. Auch geht es um Festhalten und Loslassen, Zielstrebigkeit, Durchhaltevermögen oder Vertrauen ebenso wie Konzentration und eine weit reichende Körperwahrnehmung, die als individuelle Merkmale auf dem Hochseilgarten fühlbar und sichtbar werden können.[63]

Der für die Exposition auf dem Hochseilgarten typische emotional aufgewühlte Zustand aktiviert das limbische System. Rational-kognitive Muster werden fast zwangsläufig außer Kraft gesetzt. In der Folge treten vergangene

---

63 Mehl, K.: Wahrnehmen, was wirklich ist! Erfahrungsorientiertes Lernen und Handlungsorientierung in Psychotherapie und Coaching. In: e&l. erleben und lernen, Heft 3, 2010, S. 23–25; hier S. 25.

Situationen, Erfahrungen und daraus abgeleitete unbewusste Grundhaltungen in das Bewusstsein und können therapeutisch bearbeitet werden. Ein solcher ganzheitlicher Effekt für Körper, Seele und Geist wäre durch einen rein sprachbasierten Therapieansatz in solchem Ausmaß nicht zu erzielen. In der Folge fällt es leichter, durch die gemachten Erfahrungen bisherige Wege zu verlassen und neue Wege einzuschlagen. Zwar werden die krankheitsauslösenden Situationen nicht vergessen, aber es wird eine neue Erfahrung dagegen gesetzt, die für das Selbstbild und das damit zusammenhängende zukünftige Verhalten nunmehr prägend ist. Die krankheitsauslösenden Situationen relativieren sich. Zu berücksichtigen ist auch, dass nicht jede negative Erfahrung krank macht, sondern dadurch auch Basiskompetenzen gestärkt werden können. Unabhängig von den Auswirkungen und der Stärke der beeinträchtigenden Erfahrung kann ein emotional sehr prägendes positives Erlebnis ebenso nachhaltige Wirkungsimpulse entfalten wie im negativen Sinne eine schädigende oder sogar traumatisierende Situation. Das positive Erlebnis wird reflektiert, in die Persönlichkeit integriert und durch sich selbst organisierende Prozesse des Gehirns weiter verarbeitet. In der Konsequenz wird aus einem positiven Erlebnis eine positive Erfahrung, die auch auf andere Bereiche der Persönlichkeit heilend einwirkt.

Um die Wirkeffekte der Exposition auf dem Hochseilgarten zu evaluieren, wurden zunächst im Zeitraum zwischen November 2003 und März 2005 insgesamt 247 Personen anhand verschiedenster Erhebungsinstrumente untersucht. Von diesen haben 155 ein- bis maximal fünfmal den Hochseilgarten begangen. Als Vergleichsgruppe dienten die restlichen 92, bei denen keine Exposition auf dem Hochseilgarten stattfand. Für die Analyse der Wirkeffekte wurden verschiedene psychologische Testverfahren angewendet wie beispielsweise das Klinisch-Psychologische-Diagnosesystem (KPD), der Fragebogen zur Lebenszufriedenheit (FLZ), das Beck-Depression-Inventar (BDI), das State-Trait Angst Inventar (STAI) oder der Fragebogen zu Kompetenz- und Kontrollüberzeugungen (FKK). Ergänzt wurden diese durch Erhebungen zur Patientenzufriedenheit, Einschätzungen der Beeinträchtigung von Patienten aus der Therapeutenperspektive und weitere qualitative Instrumente beispielsweise zur emotionalen Zufriedenheit und zur direkten Reaktion auf die Exposition im Hochseilgarten.

Die Untersuchung lieferte die folgenden Ergebnisse:

*   Die Hochseilbegehung fiel knapp zwei Dritteln schwer, jedoch würden vier Fünftel ein zweites Mal den Hochseilgarten begehen.

*   Die typischen Reaktionen nach der Begehung waren in positiver Hinsicht ein gutes Gefühl, Zufriedenheit, Erleichterung, aber auch in erheblich geringerer Anzahl Erschöpfung, Traurigkeit oder Anspannung. Die auf den ersten Blick eher negativen Gefühle werden dabei im Rahmen des therapeutischen Prozesses nicht grundsätzlich negativ verstanden. Anspannung, Verunsicherung und Erschöpfung können durchaus wichtige Bewältigungserfahrungen sein.

*   Bei fast allen Expositionen auf dem Hochseilgarten gab es ein persönlich wichtiges Ereignis oder eine wichtige Situation. Ähnliches gilt für Ereignisse, die mit dem eigenen Leben in Verbindung gebracht werden können. Dies traf auf 88% der Begehungen zu. In weiteren 77% gab es Dinge, die den Patienten klarer geworden sind und in 89% Dinge, die sie verändern wollen.

*   Die psychologischen und psychiatrischen Testverfahren lieferten die folgenden Ergebnisse: Hochseilbegeher und Nichtbegeher unterschieden sich zu Beginn kaum im Ausmaß ihrer psychischen Beeinträchtigung beispielsweise mit Blick auf Angst oder Depression. Nach der Exposition im Hochseilgarten konnte bei den Hochseilbegehern eine signifikant geringere Symptomatik in der Depressivität festgestellt werden. Auch im Ausmaß der Angst als Persönlichkeitsmerkmal oder als Zustand in einzelnen Situationen erreichten die Hochseilbegeher deutlich stärkere Verbesserungen als die Nichtbegeher. Hinsichtlich der Selbstwirksamkeit ergeben sich ebenfalls Veränderungen: Hochseilbegeher schätzen ihre Selbstwirksamkeit deutlich besser ein als Nichtbegeher. Bei den Nichtbegehern ist also das Gefühl einer unbeeinflussbaren Steuerung von außen und einer geringen eigenen Einflussmöglichkeit stärker ausgeprägt.

- Vor allem in der ersten Therapiephase ist die Exposition auf dem Hochseilgarten mit besonders starken positiven Veränderungsprozessen verbunden. Anzunehmen ist, dass daraus ein dynamisierender Effekt resultiert, der auch einen positiven Einfluss auf den gesamten weiteren Therapieverlauf hat.

- Hochseilbegeher wiesen in den Nebenkriterien eine höhere Lebensqualität und Patientenzufriedenheit auf als Nichtbegeher.

Insgesamt konnte gezeigt werden, dass die Verbesserung der Symptome bei den Hochseil begehern stärker ausgeprägt war als bei den Nichtbegehern. Bei Letzteren liegen die Verbesserungseffekte in einer Größenordnung, die üblicherweise in stationären Behandlungssettings erreicht wird. Die Studie konnte den Einfluss der Exposition auf dem Hochseilgarten natürlich nicht isoliert messen. Es ist aber davon auszugehen, dass den Wirkeffekten sowohl ein eigenständiger Einfluss auf die Symptomverbesserung zukommt, als auch eine dynamisierende Wirkung im Gesamtkontext des integrativen therapeutischen Konzeptes. Dabei ist anzunehmen, „... dass die hohe emotionale Verstörung emotionale und kognitive Gleichgewichte stört und so die Neuorganisation dynamischer Psychoprozesse anregt."[64]

Wie in der Erlebnispädagogik lag auch in diesem Fall die kritische Annahme nahe, dass die erzielten Erfolge nur kurzfristig bestehen und sich nicht nachhaltig in das weitere Leben der Teilnehmenden transferieren lassen. Um diesem Thema nachzugehen, wurde die Studie nach zwei Jahren mit den gleichen Patienten wiederholt.[65] Im Ergebnis lässt sich sagen, dass sich die Symptomatiken weiterhin sehr verbessert haben. Die persönlichkeitsimmanenten Anteile, wie zum Beispiel Selbstwirksamkeit, waren nach zwei Jahren sogar noch stärker ausgeprägt als zu Beginn. Auch Angst als Persönlichkeitsmerkmal hatte sich zwei Jahre nach der Exposition bei deutlich mehr Patienten aus der Gruppe der Hochseilbegeher reduziert als in

---

64 Mehl, K.W.; Wolf, M.: a.a.O., 2009, S. 37.

65 Wolf, M.; Mehl, K.W.: Experiential Learning in Psychotherapy: Ropes Course Exposures as an Adjunct to Inpatient Treatment. In: Clinical Psychology and Psychotherapy (Clin. Psychol. Psychother.) 18, 2011, S. 60–74.

der Vergleichsgruppe. Demgegenüber ergaben sich keine weiterführen-
den Unterschiede in depressiven Symptomen und Kontrollüberzeugung.
Offensichtlich werden also langfristig vor allem die Persönlichkeitsvariablen
durch die Exposition im Hochseilgarten positiv beeinflusst.

Diese Ergebnisse zeigen deutlich die dynamisierenden Effekte der
Hochseilexposition. So stabilisiert sich die Primärerfahrung im Gehirn
als einem sich selbst organisierenden System und entfaltet weiterhin ihre
Wirkung, indem krankheitsfördernde Faktoren durch stabilisierende und
gesundende Erfahrungen kompensiert werden können.

Die Studie kommt insgesamt zu dem Ergebnis, dass der Einfluss
einer Begehung des Hochseilgartens hinsichtlich der Wirkungsimpulse
zwar nicht isoliert werden kann, in jedem Fall aber eine sehr sinnvolle
Unterstützung bei der Therapie psychischer Störungen darstellt. Mit hoher
Wahrscheinlichkeit kommt der Exposition auf dem Hochseilgarten auch ein
eigener therapeutisch wichtiger Einfluss zu, der, wie die follow up Studie
gezeigt hat, auch noch nach langer Zeit wirkungsvoll ist.

3.2 Das Pilotprojekt der Klinik Pniel

Um die grundsätzliche Frage, ob sich die Erlebnispädagogik in der Therapie
und Rehabilitation psychisch erkrankter Menschen einsetzen lässt, ging es
in einem Pilotprojekt der Klinik Pniel, Bethel. In der Regel jeweils einmal
pro Woche fand in Begleitung mindestens eines Kliniktherapeuten für etwa
drei Stunden eine erfahrungs- und erlebnisorientierte Übungseinheit inklusive anschließender Reflexion mit einer Gruppe von fünf bis zehn Patienten
statt.[66] Das Projekt wurde evaluiert anhand von qualitativen Interviews

---

66 Lakemann, U.; Koppmann, L.: Erlebnispädagogik in der Rehabilita-tion psychisch kranker Menschen. In: Ferstl, A.; Scholz, M.; Thiesen, Ch. (Hrsg.): Menschen stärken für globale
Verantwortung, Ziel-Verlag, Augsburg 2008, S. 218–233.
Lakemann, U.: Erlebnispädagogik für Menschen mit psychischen Störungen. Erste Ergebnisse
eines Forschungs- und Entwicklungs-projekts. In: e&l. erleben und lernen, Heft 5, 2008, S. 4–6.

mit den teilnehmenden Patienten zu Beginn, nach der Hälfte und am Ende der praktischen Projektlaufzeit. Die Interviews wurden einer qualitativen Inhaltsanalyse unterzogen, die folgende Ergebnisse lieferte:[67]

Zunächst betrachten wir Wirkungsimpulse, die schwerpunktmäßig auf die Person ausgerichtet sind.

Erlebnis: Schon das Erlebnis an sich, also die außergewöhnliche, neue Situation wurde als vorteilhafter Wirkungsimpuls aufgefasst, der die Genussfähigkeit fördert. Dies galt beispielsweise für die Naturerfahrung.

Aktivierung und körperliche Bewegung: Hervorgehoben wurde, dass die Erlebnispädagogik dazu beigetragen habe, wieder vor allem auch körperlich aktiv zu werden. Die Bewegung stellte sich damit als wirksames Mittel zum Beispiel gegen eine Depression dar. Dennoch führten bei einigen Teilnehmenden die allgemeine körperliche Konstitution und auch die Einnahme von Medikamenten in manchen Situationen zu körperlichen Überforderungen.

Entspannung: Als Kontrast zu Aktivierung und Bewegung zog eine ganze Reihe von Aktionen für fast alle Befragten auch Entspannungseffekte und Gefühle des Loslassens nach sich.

Spaß: Einige erlebnispädagogische Aktionen, zum Teil in Verbindung mit Spiel und Bewegung, waren für die Teilnehmenden mit Spaß und Freude verbunden.

Stärkung: Vor allem wenn die Zielerreichung zuerst als eher unwahrscheinlich angesehen, das Ziel dann aber doch erreicht wurde, fühlte sich eine ganze Reihe von Patienten durch die Erlebnisse und Erfahrungen gestärkt. In der Konsequenz wurden daraus auch explizit Transfers zu anderen Lebenssituationen hergestellt.

---

67 Lakemann, U.: Ich habe mich lange nicht mehr so frei gefühlt. Wir-kungsimpulse der Erlebnispädagogik für Menschen mit psychischen Störungen. In e&l. erleben und lernen, Heft 3, 2010, S. 15–18.

Bezüge auf biografische Erfahrungen:
Positive Assoziationen mit der eigenen
Lebensgeschichte orientierten sich
vor allem am Spielerischen, an Natur
und Freiheit. Die negative Bewertung
war mit Belastungssituationen aus
der Kindheit verbunden, an die man
sich auch wegen einer damit asso-
ziierten Verursachung der eigenen
psychischen Erkrankung ungern
erinnerte.

Ängste: Befürchtet wurde von manchen Teilnehmenden, bestimmte
Aufgaben nicht zu schaffen und
dabei nicht mitmachen zu können.
Auch Angst vor Nähe zu anderen
war in manchen Situationen zu
beobachten. Die Ängste äußerten
sich im Interview, aber auch spontan in Situationen, die durch eine gewisse
Herausforderung gekennzeichnet waren.

Freiheit und Glück: Vor allem die Bewegung in der Natur erzeugte bei vielen
das Gefühl von Freiheit und Glück. Obwohl sie sich in der Klinik freiwillig
aufhielten, wurden die natürlichen Räume wie Wald, Wiese und Wasser im
Kontrast zum Klinikalltag mit Freiheit assoziiert.

Herausforderung und Selbstwirksamkeit: Auch eine Erfahrung der
Selbstwirksamkeit war mit dem Gefühl der Freiheit verbunden. Die Steuerung
eines Segelbootes zu übernehmen oder beim Klettern voranzukommen, führten zum Erlebnis, Ängste überwinden und aus der eigenen Anstrengung
heraus etwas schaffen zu können.

Neben diesen eher auf die Person konzentrierten Wirkungsimpulsen gab es als Folge der erlebnispädagogischen Aktionen auch innerhalb der Gruppe Veränderungen:

Vertrauen: Bei der „blinden Karawane" oder beim Klettern mussten sich die Teilnehmenden einer oder mehreren Personen überlassen und waren gezwungen, ihnen zu vertrauen. Dies stärkte das Vertrauen in der gesamten Gruppe.

Ausmaß und Veränderungen der sozialen Integration und Kohäsion: Ein Teil der Patienten hatte in der Gruppe zu Beginn eher einen eingeschränkten Grad an sozialer Integration. Zurückhaltung oder die biografische Erfahrung des „Einzelgängers" wurden dafür als Gründe angegeben. Die erlebnispädagogischen Übungen boten einen Rahmen, um ins Gespräch miteinander zu kommen und das Integrationsgefühl zu erhöhen. Daraus resultierte auch ein wichtiges Kontrasterlebnis zu Isolationserfahrungen im Rahmen einer Depression. Allerdings gab es in diesem Zusammenhang auch eine als unangenehm empfundene, zu große Nähe zu den anderen oder das Gefühl, beobachtet zu werden.

Rollenstrukturen und ihre Entwicklung: Die erlebnispädagogischen Aktionen trugen dazu bei, ein anderes Rollenverhalten auszuprobieren und mit unterschiedlichen Positionen zu experimentieren. Ein Teil der Patienten fühlte sich aber auch in der selbst gewählten Rolle bestätigt, ohne dass damit ein Rollenzwang verbunden gewesen wäre. Im Zusammenhang mit Rollenstrukturen war auch die Führung ein wichtiges und differenziert gesehenes Thema. Vor allem eine wahrgenommene Dominanz einzelner Teilnehmender wurde als unerwünscht definiert, weil man beispielsweise selbst auch einmal die Führungsposition übernehmen wollte. Das durch den Trainer initiierte gezielte Hineinsetzen von Personen mit Führungskritik und Führungsanspruch in die Führungspositionen ermöglichte es diesen dann auch, die für sie wichtige und gewinnbringende Führungserfahrung zu machen. Aber auch ohne Trainer-intervention standen durch die Eigendynamik der Gruppe manche, die sich als „Einzelgänger" bezeichneten, an irgendeinem Punkt des Projektes zum Beispiel mit einer erfolgreichen

Lösungsidee im Zentrum des Geschehens. Es gab aber auch Erfahrungen, dass Patienten Führungsrollen aufgrund biografischer Negativassoziationen verweigerten. Auffällig war auch, dass einige Teilnehmende vor allem dann, wenn sie während der Aktion in einer leitenden Position waren, sich selbst die Verantwortung für Schwierigkeiten bei der Zielerreichung zuschrieben. Dies passierte sogar, wenn es offensichtlich die äußeren Bedingungen waren, die ursächlich eine Zielerreichung erschwerten – beispielsweise beim Segeln ohne Wind. Zum Teil konnten Misserfolgserlebnisse, wenn sie Konsequenzen für die gesamte Gruppe hatten, zu einer Außenseiterposition führen. Auch dabei wurden zum Teil Rückbezüge auf frühere biografische Erfahrungen hergestellt, die verbunden waren mit dem Erlebnis, nicht dazuzugehören.

Insgesamt hat das Pilotprojekt gezeigt, dass die Erlebnispädagogik zahlreiche wichtige Wirkungsimpulse auch für Menschen mit psychischen Störungen bereit hält, wobei sich die festgestellten Impulse nicht grundsätzlich von denen unterscheiden, die auch für andere Zielgruppen feststellbar sind. Vor dem Hintergrund der Erkrankung erhalten sie aber einen deutlich anderen Rahmen und werden zu sehr spezifischen, individuell einzigartigen Erfahrungen.

4. Grenzen der Erlebnistherapie

Weder Erlebnispädagogik noch Erlebnistherapie sind grenzenlos bei allen Problemen von Personen und Gruppen einsetzbar. Wichtig ist es deshalb, einen klaren Blick für die Grenzen zu entwickeln, um die Methode nicht zu überfordern, sondern sie gezielt dort einzusetzen, wo sie Erfolg verspricht.

Im Pilotprojekt der Klinik Pniel stellte sich allmählich heraus, dass der körperliche Trainingszustand und die Nebenwirkung von Medikamenten einen negativen Einfluss auf die Motivation und die in einer erlebnistherapeutischen Situation möglichen Erfahrungen hatten. Weitere Schwankungen in der Teilnahme wurden durch eine Verschlechterung des Krankheitsbildes oder durch andere externe Termine ausgelöst. Hier ist es wichtig, eine Kontinuität der erlebnistherapeutischen Angebote im gesamten therapeutischen Spektrum der Klinik zu gewährleisten.

Außerdem stellte sich bereits zu Beginn des Projektes bei einigen Patienten die Angst vor körperlicher Nähe als Problem dar, die auch in den durchgeführten Aktionen nicht gänzlich überwunden werden konnte. Hier ist es notwendig, im Sinne von Gilsdorf[68] mit einer gewissen Respektlosigkeit die in Frage kommenden erlebnispädagogischen Übungen und Spiele analog zu den psychischen Dispositionen der teilnehmenden Patienten zu variieren.

Ähnliches gilt für das festgestellte Gefühl der Beobachtung durch andere. Auch hier können Variationen dazu führen, dass die entsprechenden Patienten sich in weniger beeinträchtigter Art wahrnehmen und anderen gegenübertreten können.

Im Anschluss an Gilsdorf[69] ist es außerdem Aufgabe des Therapeuten, sensibel darauf zu achten, dass die Komfortzone zwar verlassen wird, die Patienten aber in der Lernzone verbleiben.[70] Ein Übergang in die Panikzone würde extreme Konsequenzen nach sich ziehen, die unter Umständen deutlich über den reinen Abbruch der Therapie hinausgehen. Hier ist nicht nur eine sehr gute Kenntnis der jeweiligen Krankheitsbilder erforderlich, sondern auch ein hohes Maß an Verständnis für die einzelnen Personen. Bereits daran wird deutlich, dass erlebnistherapeutische Aktionen nicht abgekoppelt vom sonstigen therapeutischen Setting durchgeführt werden sollten. Stattdessen ist ein enger Kontakt mit der therapeutisch aktiven Institution, also beispielsweise einer Beratungsstelle oder einer Klinik, und die Anwesenheit des Bezugsbetreuers erforderlich.

Auch Lukowski[71] weist darauf hin, dass sich jeder Ergotherapeut, Sozialpädagoge oder Bergführer fragen sollte, ob seine Ausbildung ausreicht, um mit psychisch kranken Menschen erlebnistherapeutisch zu arbeiten. Ein

---

68 a.a.O., S. 477 f.

69 a.a.O., S. 406 f.

70 Zum Konzept der Komfort-, Lern- und Panikzone vgl. Nadler, R.; Luckner, J.: Processing the adventure experience. Theory and prac-tice, Dubuque 1992.

71 a.a.O., S. 19.

Zusammenwirken von medizinisch-psychologischen und pädagogischen Konzepten ist erforderlich, insbesondere um klare fachliche Einschätzungen zu entwickeln und den Erkrankten nicht in eine Überforderungssituation zu führen.

Wenn aber diese Grundsätze berücksichtigt werden, kann die Erlebnistherapie zahlreiche Potentiale eröffnen, die mit vielen anderen therapeutischen Ansätzen nicht oder erheblich aufwändiger zu erreichen wären.

Über den Autor

Prof. Dr. Ulrich Lakemann
Ernst-Abbe- Fachhochschule Jena
Diplom Soziologe, Praxisschwerpunkt Sozialarbeit
u.a. Wissenschaftlicher Beirat des Qualitätsmanagements in der Erlebnispädagogik
des Bundesverband Individual- und Erlebnispädagogik e.V.

Vom Einfluss von Schmerzvermeidung auf das innere Wachstum

Holger Heiten

Inneres Wachstum, das zu verantwortlichem und zukunftsfähigem Handeln im Außen führen soll, muss uns befähigen, mit Trauer, Schmerz und Wut umgehen zu können.

Nur wenn wir wieder einen Sinn darin erkennen, dem immer wiederkehrenden Aufruf zur persönlichen Helden-/Heldinnenreise zu folgen und uns dem damit verbundenen Stirb und Werde zu stellen, werden wir die Kraft erhalten, die wir benötigen, um wirklich hinschauen zu können.

Wenn wir nämlich nicht mehr hinschauen können, wenn wir den Schmerz über die Ungerechtigkeit und Zerstörung in unserer Welt nicht mehr aushalten können, dann bleibt als Alternative nur mehr die Gleichgültigkeit; und Gleichgültigkeit wäre der Anfang vom Ende.

Sollten wir jedoch gelernt haben hinzuschauen, dann erwächst uns aus eben dieser Herausforderung eine Haltung, die uns förmlich zum Handeln verpflichtet.

Der Weg der Transformation

Nur in dem Maße, wie sich der Mensch immer und immer wieder der Vernichtung aussetzt, kann das, was unzerstörbar ist, in ihm aufsteigen. Darin liegt die Würde des Wagnisses.

Somit ist das Ziel der Übung nicht die Entwicklung einer Haltung, die einem Menschen erlaubt, einen Zustand der Harmonie und des Friedens, in dem ihn nichts jemals quälen kann, zu erwerben.

Die Übung sollte ihn im Gegenteil lehren, sich selber angreifen, beunruhigen, bewegen, beleidigen, brechen und schlagen zu lassen – das heißt, sie sollte ihn befähigen, sein nutzloses Verlangen nach Harmonie,

Schmerzvermeidung und komfortablem Leben aufzugeben und loszulassen,
damit er, während er mit den Kräften kämpft, die sich ihm entgegenstellen,
das entdecken kann, was ihn jenseits der Welt der Gegensätze erwartet.
Aus dem Buch „Der Weg der Transformation" von Karlfried Graf von Dürkheim

Die Tiefe und das Gewissen

D ie Sinnhaftigkeit, sich immer wieder der in Dürkheims Zitat genannten Vernichtung auszusetzen, erschließt sich, wenn wir uns die Bedeutung vor Augen führen, die die Dimension der Tiefe für unser Leben hat.

Die Tiefe und die Stille gehören zu den schmerzlichsten Opfern, die unsere industrielle Wachstumsgesellschaft auf dem Altar von Profitmaximierung, Leistung, Produktivität und immer schnellerer Taktung dargebracht hat.

War es unseren Vorfahren noch wichtig, nach bestem Wissen und Gewissen zu handeln, so fällt es heute kaum noch auf, wenn uns nur mehr ausrichtet, was uns unser eher oberflächliches Wissen zu sagen im Stande ist.

Um Tiefe erfahren oder überhaupt erst zulassen zu können, sind Eigenschaften nötig, die wir heute immer seltener lernen:

Tiefe braucht Raum, Pausen, Stille und zunächst immer erst einmal Mut. Üblicherweise steigt nämlich in Momenten des Innehaltens erst einmal etwas aus der Tiefe in uns auf, das nicht immer angenehm ist. Dabei handelt es sich zumeist um all die Gefühle, Ahnungen und inneren Mahnungen, deren Stimmen wir verdrängten, um unseren durchgetakteten Alltag bewältigen zu können.

Können wir dieses erste „an die Oberfläche Drängen" nicht ertragen und suchen wir dies beständig zu vermeiden, so steht es uns auch nicht mehr offen, danach, von uns aus mit unserer Tiefe in Fühlung zu gehen und voll präsent zu sein

Wenn wir nie gelernt haben, mit Schmerz, Trauer oder Wut umzugehen und wir das Spüren solcher Gefühle versuchen zu umschiffen, schneiden wir uns damit auch ab von den tieferen Quellen unseres Seins, dem existenziellen Erleben unserer momentanen Wahrheit sowie von unserer Teilhabe an der Allverbundenheit und der Fülle des „Kontinuumwissens" in uns.

Mit anderen Worten, wir werden gewissenlos, was nichts anderes bedeutet als „nicht mehr mit unserem tieferen Wissen verbunden" und, da wir die Signale unserer tieferen Wahrheit zu ignorieren suchen, verwahrlosen wir zudem, da unsere Wahrheit sich auf keinen authentischen Referenzpunkt in uns mehr ausrichten kann.

Reifes, zukunftsfähiges Handeln in der Welt ist und bleibt jedoch ein Handeln nach bestem Wissen und Gewissen. Wenn wir also von „innen wachsen und außen handeln" sprechen, dann ist die Voraussetzung für globales zukunftsfähiges Handeln ein inneres Wachstum, das es uns ermöglicht, uns im Sinne des naturpsychologischen Entwicklungsmodells der „Vier Schilde" auf der sogenannten West-Ost-Achse zu bewegen.Um darüber miteinander weiter nachdenken zu können, werfen wir im Folgenden einen kurzen Blick auf dieses Modell.

Die West-Ost-Achse im Modell der „Vier Schilde menschlicher Natur"

Die „Vier Schilde menschlicher Natur" nach Steven Foster und Meredith Little ist eines der grundlegenden, naturpsychologischen Entwicklungsmodelle, mit denen wir im Eschwege Institut und in der Initiatischen Prozessbegleitung arbeiten.

Dieses Modell beschreibt zyklische Prozessverläufe in der Natur und eben auch in der menschlichen Natur. Nach diesem Modell lassen sich die verschiedenen Aspekte unseres Lebens und unserer Welt-Erfahrung vier deutlich voneinander unterscheidbaren Qualitäten zuordnen, die wie die vier Himmelsrichtungen in einem Kompass angeordnet sind.

Legt man z.B. die vier Jahreszeiten auf diesen Kompass, wird deutlich, was mit zyklischen und immer wiederkehrenden Prozessverläufen gemeint ist. Um im Modell Wachstum darstellen zu können, muss man sich hier eine spiralförmige Aufwärtsbewegung vorstellen, da jedes Durchlaufen eines Zyklus mit dem Stirb und Werde bzw. mit den Häutungen nach Wandlungsprozessen einhergeht.

Es liegt auf der Hand, dass so ein Modell zunächst den Ideal- oder Sollzustand beschreibt und dass der fließende zyklische Verlauf von Lern- und Wachstumsprozessen im wirklichen Leben gestört sein kann oder aus bestimmten Gründen stagniert. In unserer Erfahrung, aber auch in unserem Verständnis der westlichen Kultur zeigt sich, dass solche Störungen am Häufigsten dort auftreten, wo wir nach diesem Modell die „Richtungsqualität des Westens" verorten.

Die möglichen Gründe dafür lassen sich leicht nachvollziehen, sind doch die Aspekte unseres Lebens, die dieser Richtungsqualität zugeordnet sind, wie schon angedeutet, zum großen Teil unbeliebt und unangenehm.

Den anderen drei Richtungsqualitäten werden jeweils Aspekte zugeordnet, die leichter als erstrebenswert empfunden werden. Dem Süden z.B. werden alle Aspekte des Kindes in uns sowie der Körperlichkeit und Sinnlichkeit zugeordnet, dem gegenüberliegenden Norden das vollständige Erwachsensein, welches eine Mischung aus Verantwortung, Strukturiertheit und Souveränität mit sich bringt, und dem Osten schließlich Spiritualität, Kreativität und Vertrauen. All dies sind durchaus Aspekte des Lebens, die einem gegebenenfalls gut zu Gesicht stehen und die in unserer Kultur ein gewisses Ansehen oder zumindest eine Akzeptanz genießen.

Deshalb kippen die Gewichte im Modell auch häufig auf der Nord-Süd-Achse hin und her zwischen der Überforderung im Norden und dem Burn out im Süden, oder dem Suchtverhalten im Süden und einer Verantwortungslosigkeit im Norden.

Anders ist es da mit dem Westen, dem die prüfende Innenschau zugeordnet wird. Die Richtungsqualität des Westens steht für die Verarbeitung, das Verdauen von Eindrücken, die wir zuvor im Süden (Kindheit) über unsere Sinne aufgenommen hatten. Der Westen steht für die Pubertät, in deren Verlauf alles, was wir von den Eltern, unseren Lehrern, der Kirche und anderen Instanzen vermittelt bekamen, auf den Prüfstand kommen muss, um zu entscheiden, was davon authentisch zu uns gehören kann und was also ausgeschieden werden muss.

Dieser Prozess wiederholt sich im Leben in kleineren und größeren Schüben immer wieder, steht dahinter doch eine Frage, die uns immer begleiten wird, nämlich „wer bin ich?" oder genauer gesagt, „wer bin ich jetzt und was ist demnach jetzt meine Aufgabe?"

Dieses „wer bin ich jetzt?" ist fast immer mit der unangenehmen Herausforderung verbunden, all das, was wir nach durchlebten Lernprozessen nicht mehr sind, wie eine zu eng gewordene Haut abzustreifen. Wie schwer das bisweilen ist, zeigt sich, wenn wir uns vor Augen führen, welche Orientierung gebende Rolle in unserem Leben der sogenannte persönliche Mythos spielt.

Der persönliche Mythos hilft uns, uns selbst zu erklären, warum alles so kam, wie es gekommen ist, und wie wir dann wurden, wer wir heute sind. Somit ist dieser Begriff nur ein anderes Wort für Identität und diese wiederum steht im Zentrum unserer Selbstsicherheit, unseres Entscheidungs- und Unterscheidungsvermögens, unserer Beziehungsfähigkeit und Ausgeglichenheit.

Ein persönlicher Mythos ist jedoch eben nur ein Mythos, der immer nur die momentane Wahrheit über uns selbst abbildet.

In den Wachstums- und Übergangskrisen, durch die wir im Leben gehen, müssen solche Mythen zerfallen. Deshalb müssen wir uns zeitweise haltlos und verloren fühlen müssen, bis wir erkennen, dass nur eine weitere Schale, eben jene „alte Haut" abgefallen ist, unter der sich eine neue, eine tiefere Wahrheit über uns zeigt.

In solchen Zeiten ahnen wir, dass es nicht die letzte Schale war, die fallen musste und das wir unterwegs sind zu einem tieferen Kern.

Der Westen ist also so etwas wie der Friedhof unserer persönlichen Mythen und somit der Ort, wo wir Phasen von Orientierungslosigkeit, Depression und Angst aushalten müssen.

Der Osten ermutigt uns, diesen, unseren Weg zu jenem tieferen Kern weiter zu gehen, auch wenn wir nur darauf vertrauen können, dass sich dieser unplanbare Weg, während wir ihn gehen, schon zeigen wird.

Im Osten geht es um das vertrauensvolle Loslassen von Kontrolle und damit auch von Strukturen, Plänen und Konzepten. Jede wirkliche Pause, jedes wirkliche Innehalten bedarf dieser Osten-Qualität, welche alle Ängste und Zweifel im Westen ausgleicht mit dem Versprechen des bedingungslos geliebten Seins und des Gehalten-seins von etwas, das größer ist als wir selbst.

All diese Aspekte jedoch, die mit Krise, zeitweiser Verunsicherung, Tod, Angst, Kontrollverlust und Zweifel zu tun haben, sind in unserer leistungsorientierten Kultur weniger erstrebenswert und mit unerwünschten Wertungen belegt. Deshalb werden diese, im zyklischen Verlauf von Wachstumsprozessen notwendigen Qualitäten häufig verneint, verschwiegen oder verdrängt. So sehr wir jedoch versuchen, diesen Durchgang zu umschiffen, um so mehr wird dessen Notwendigkeit ins Bewusstsein drängen.

Westen-Prozesse bzw. die damit verbundene Auseinandersetzung mit der West-Ost-Achse zu vermeiden gehört zu den Zutaten, aus denen Dauerkrisen gemacht sind. Die zyklische Bewegung innerer Wachstumsprozesse wird immer erst dann wieder in Gang kommen, wenn wir bereit sind, voll und ganz anzuerkennen, dass wir an diesem schmerzhaften Punkt im Leben stehen.

Das Schöne an der menschlichen Natur bzw. an diesem Modell ist, dass dem Westen nicht nur solche Formen der inneren Herausforderung zugeordnet sind, sondern auch die mögliche Kraft, die uns zur Verfügung steht, um uns ihnen angemessen zu stellen. In der Sprache C.G. Jungs ist es der Archetypus des Kriegers bzw. der Kriegerin, der dem Westen zugeordnet ist.

Der Westen steht also auch für die Haltung, mit der wir unseren Ängsten, Schatten und inneren Monstern begegnen.

Aus der Perspektive von Joseph Campbells monomythischer Heldenreise[72] betrachtet, kann das Elixier eines neuen Lebens erst dann in Empfang genommen werden, wenn wir uns unserem persönlichen (inneren) Drachen gestellt haben und dabei herausgefunden haben, dass dieses Furchterregende jenes Elixier immer nur für uns bewacht hatte. Erst wenn wir uns als reif genug erweisen und nicht mehr davonlaufen, bekommen wir Zutritt zu diesem Potential, welches auf keine andere Weise erlangt werden kann. Weder können wir es irgendwo anders kaufen, noch können wir jemanden losschicken, es für uns zu besorgen. So wird in den Mythen der Welt die seelische Bewegung erzählt, die sich in uns vollzieht, wenn wir durch echte Wachstumsprozesse gehen.

---

72 Buch, Joseph Campbell, Der Heros in tausend Gestalten, Insel Taschenbuch, ISBN 3-458-34256-7

Handlungsorientierte Ansätze der Prozessbegleitung

U m sich also die Dimension der Tiefe wieder zu erschließen und um von dort die Kraft zu erhalten, sich großen Herausforderungen nach bestem Wissen und Gewissen zu stellen, müssen wir neben dem Norden und dem Süden also auch wieder in den beiden anderen Richtungsqualitäten beheimatet sein, im Westen und im Osten.

Gelingt uns das, sind wir wieder im Fluss und können mit den fortwährenden Wandlungsprozessen in unserem Leben umgehen.

Dies gilt selbstverständlich nicht nur für Einzelne, sondern auch für Teams, Unternehmen und Institutionen, die in ihrer Entwicklung ebenfalls durch z.T. dramatische Übergangsprozesse gehen.

Erweitern wir die Perspektive dieses Themas auf diese größeren Zusammenhänge, haben wir es hier mit einer wachsenden gesellschaftspolitischen Herausforderung zu tun, solche Wandlungsprozesse effektiv, kraftentfaltend und zukunftsfähig zu gestalten, bevor sie zu persönlich und volkswirtschaftlich schädlichen Dauerkrisen werden.

In einer Zeit, in der noch nicht heraus ist, ob der von Joanna Macy sogenannte „große Wandel" noch gelingen wird, können wir uns eine so weitreichende Stagnation aus Gründen der Schmerzvermeidung einfach nicht leisten.

Deshalb ist es wichtig, sich mit handlungsorientierten Ansätzen zu beschäftigen, die den Einbezug der Tiefe, der West-Ost-Achse, einladen, seriös erklären und gesellschaftsfähig machen.

Seit C. Otto Scharmer 2007 z.B. seine „Theorie U" vorlegte, gibt es hier eine seriöse und offenbar allgemein anerkannte Sichtweise darauf. Das neuerliche Interesse daran ist offenbar durch die Erkenntnis motiviert, dass durch den Einbezug der Osten-Qualität notwendige innovative Prozesse wahrscheinlicher und nachhaltiger werden, was eben auch für die Entwicklung neuer Produkte in der Industrie gilt.

C. Otto Scharmer, Forscher und Berater am Massachusetts Institute of Technology (MIT), hat es so auf überraschende Weise geschafft, nichtlineares Denken und die Dimension der Tiefe inklusive einer businesstauglichen Terminologie für die Wirtschaftswelt populär zu machen.

In seiner „Theorie U" lädt er dazu ein, statt vorschnell von einer Problemstellung zu einer Lösung kommen zu wollen, auf dem Weg dahin zunächst mittels eines vielschichtigen Verfahrens in die Tiefe zu gehen.

Dieses führt uns – durch das Öffnen des Denkens bzw. ein neues Sehen und Hinterfragen der Dinge, durch das Öffnen des Fühlens, aufgrund dessen auch aus der Perspektive anderer Systeme wahrgenommen werden kann und schließlich durch das Öffnen des Willens, welches ermöglicht, alte Identitäten und Intentionen zugunsten neuer loszulassen – zum tiefsten Punkt im U bzw. in unserem Modell in die Osten-Qualität.

Hier werden wir anwesend in der Stille und verbinden uns mit der Quelle tieferer Kreativität. Alles ist jetzt auf die wesentlichen Fragen „Wer bin ich?" und „Was ist meine Aufgabe?" heruntergebrochen. Die hier mögliche, generativ fließende Kommunikation nennt Scharmer „Presencing", eine Mischung aus präsent sein (presence) und hineinfühlen (sensing), bei der von dem im Entstehen begriffenen, möglichen Zukunftsfeld her gesprochen und gegebenenfalls geführt wird.

Nach dem tiefsten Punkt beginnt mit dem „Kommen lassen" von Emergenz, Inspiration oder Vision wieder der Aufstieg auf der anderen Seite des U, der über „Crystallizing" und „Prototyping" schließlich zu einer voll verkörperten, ganzheitlichen Lösung führt, die dann, in der „Performing"-Phase in die Welt gebracht werden kann.

Für unseren Zusammenhang ist es interessant zu erfahren, dass Scharmer Angst als Schattenaspekt bzw. inneren Widerstand benennt, der durch die Zuwendung zur Osten-Qualität ausgelöst wird: die schlichte Angst, das Vertraute loslassen zu müssen und es zu verlieren, die nachvollziehbare Angst vor dem Schritt in das Nichts. Scharmer weist an diesem Punkt darauf hin, dass „die Fähigkeit, aus den tieferen Quellen der Präsenz und Kreativität heraus zu handeln, nur in dem Maße entwickelt werden kann, wie sich ein System nicht nur den Kräften und Herausforderungen des Umfelds, sondern auch den Stimmen des inneren Widerstands stellt."

Theorie U, Von der Zukunft her führen, Presencing als soziale Technik, C. Otto Scharmer, Carl-Auer, 2009, ISBN 978-3-89670-679-9

Scharmer beschreibt damit keinen neuen Prozessverlauf, er tut es lediglich in einer neuen und weniger esoterisch anmutenden Weise. Derselbe Prozessverlauf wird z.B. durch das o.g. Vier-Schilde-Modell schon immer als ganzheitlicher und vollständiger Prozessverlauf dargestellt, in dem keine der Richtungsqualitäten vermieden wird.

Die Initiatische Prozessbegleitung, wie sie am Eschwege Institut gelehrt und praktiziert wird, und ähnliche Ansätze, die zyklische Verlaufsmodelle als Grundlage haben, müssen deshalb mindestens genauso als Ansätze gelten, die einer effektiven Prozessbegleitung von Individuen, Teams, Unternehmen und Institutionen in Wandlungsprozessen dienen können.

Was dabei besonders, besticht ist die ausgeprägte Handlungsorientiertheit und die inzwischen sehr lebendige und erfolgreiche Praxis der entsprechenden Methoden.

Sie helfen den Betroffenen, mit eingängigen wahrnehmungs- und naturpsychologischen Modellen, wie etwa dem o.g. Modell der „Vier Schilde", und darauf basierenden Methoden naturinspirierter Erkenntnisgewinnung, sich selbst in der Wandlung tiefer zu verstehen. Zusätzlich fördern sie mit der gewaltfreien

Kommunikationsform „Council" eine tragfähige Gemeinschaftskultur und einen geschützten Rahmen für Emergenz-Prozesse, die Wandlungsprozesse wiederum vertiefen und nachhaltiger werden lassen.

Mit Hilfe moderner Formen von Übergangs-Ritualen, können Wandlungsprozesse kraftvoll abgeschlossen bzw. neu begonnen werden. Wichtig für eine breitere Akzeptanz der Initiatischen Prozessbegleitung ist, dass dieser Ansatz pan-kulturell, überkonfessionell und unabhängig vom sozialen, religiösen oder kulturellen Hintergrund zugänglich ist.

Mehr Info zu diesem Ansatz hier: http://www.eschwege-institut. de/ausbildung.html

Der Zusammenhang von „innen wachsen und außen handeln" ist also in zeitgemäßer Weise durchdacht und methodisch durchdrungen. Es kommt jetzt auf unseren Mut an, uns unserer Tiefe mit all ihren vermeintlichen Schreckgespenstern anzunähern. Wir alle befinden uns hier auf einer kollektiven Heldenreise und setzen unseren Fuß damit auf den Boden von „Don't know Land". Wir alle müssen den Drachen unserer Ängste begegnen, auf dass wir als menschliche Gemeinschaft ins verantwortliche Erwachsensein initiiert werden können.

Über den Autor

Holger Heiten
Eschwege Institut, Meinhard
Diplom Sozialpädagoge
Gestalttherapeut und Psychotherapeut HpG.
Visionssucheleiter (School of lost borders)
Council Facilitator (Ojai Foundation)

PRAXIS

Geburt und Wachstum

Reto Bühler

*N*achhaltige Entwicklung hat als Ziel, dem Leben zu dienen, lokal wie auch *global, heute wie auch morgen. Gemeinsam forschend folgen wir den Spuren dieser ganzheitlichen Zukunftsidee. Wir richten unseren Fokus auf den sozialen Aspekt.*
Welchen Gesetzen folgt Wachstum und was können wir unterstützend tun, damit das Leben sich selbst gebären kann?

Das Drei-Säulen-Modell der nachhaltigen Entwicklung bedient sich ganzheitlicher Ansätze. Es geht davon aus, dass der Erfolg nur durch gleichzeitige und gleichberechtige Umsetzung von umweltbezogenen, wirtschaftlichen und sozialen Zielen gewährleistet werden kann. Ökologie, Ökonomie und Soziales bedingen sich somit gegenseitig.

Meine Ausführungen beschränke ich auf den dritten Aspekt. Soziales Handeln und Verhalten hat mit einem Verständnis von Verbundenheit und Zugehörigkeit zu tun. Es setzt voraus, dass sich Menschen in ein größeres System „einfügen" können und sich in Abhängigkeit wahrnehmen. Diese Fähigkeit vergleiche ich mit Beziehungskompetenz. Das alleinige Wissen um die Verbundenheit und somit das Angewiesensein auf Andere oder Anderes reicht meines Erachtens nicht aus, um wirklich in Beziehung zu treten. Verstand und Intelligenz können im besten Fall unterstützend dazu beitragen, sich als Teil von etwas Größerem zu sehen und sich dementsprechend zu verhalten. Als Erlebnispädagoge geht es mir darum, das Verhältnis zueinander zu begreifen, im wahrsten Sinne des Wortes. Es gilt diese Verbindung spürbar zu erleben, um sie nachvollziehen zu können. So kann eine Grundhaltung von Zugehörigkeit entstehen.

An dieser Stelle lade ich ein, noch weiter zu gehen und nicht beim Begreifen zu bleiben. Um die tiefsten Ebenen des Menschen zu berühren, muss er existentiell ergriffen sein. Wie kann das gelingen?

Schönheit und Dankbarkeit sehe ich als Brücken dazu. Durch Schönheit ergriffen bin ich berührt und verharre im Staunen. Simone Weil, französische Philosophin und Mystikerin, schreibt dazu: „Schönheit: eine Frucht, die man betrachtet; ohne die Hand nach ihr auszustrecken." Das Schöne spricht mich an und führt unweigerlich zur Anerkennung des Lebens als Geschenk. Aus dieser Begegnung wächst Dankbarkeit. Sie bindet mich ein und fordert mich auf, ebenfalls in Beziehung zu treten.

Im Kontakt mit der Schönheit sehe ich eine Chance für Geburt und Wachstum, eine Möglichkeit, wie sich das Leben selbst gebären kann.

Über den Autor

Reto Bühler
Plano Alto, Thalwil
Systemischer Erlebnispädagoge und Naturtherapeut,
Lehrtrainer und Berater bei planoalto
Jugendarbeiter
Sekundarlehrer

EDUCO Africa

Josef Eder

Aufbruch

M it einer Idee und immensem Forschungsdrang im Gepäck besteige ich im Februar 2012 in München den Flieger. Ein konkreter Auftrag soll vor Ort entstehen. Ein Grundgedanke jedoch, der mich nach Afrika zieht, ist die Arbeit in und mit der Natur. Wie arbeiten Erlebnispädagogen am anderen Ende der Welt, welche Gemeinsamkeiten lassen sich mit meiner Arbeit als Choreograf und Tanzpädagoge finden, wie können wir uns gegenseitig befruchten und voneinander lernen?

Angesteckt von einem spontanen Gefühl der Verbundenheit mit dem Team von Educo Africa und einer lang gehegten Vision entsteht im Gespräch mit Wiebke Nedel im Rahmen des Fachkongresses „Into the Wild" der Gedanke eines Austauschs, in dem ich pädagogisch und künstlerisch vor Ort mitarbeite. Und da bin ich nun, drei Monate später.

Educo Africa, eine von vielen NGOs (non government organisations) in Südafrika, engagiert sich vor allem für die Unterstützung, Entwicklung und Fortbildung von benachteiligten jungen Menschen aus den Townships. Neben sozialem Engagement für Kinder mit HIV/Aids besteht ein Hauptteil ihrer Arbeit in „Leadership and Selfdevelopment"-Kursen in der Wildnis.

Die Kooperation mit der Universität „TSiBA" ist zudem wohl eine der gelungensten und sinnvollsten Partnerschaften von Studium und handlungsorientiertem Lernen in der Natur. Jedes Jahr beginnen 120 Studenten den vierjährigen Studiengang für Wirtschaft. Teil des Curriculums zu Beginn des Studiums ist ein siebentägiger Kurs in den Bergen. Für die jungen Erwachsenen ist es meist die erste Begegnung mit der ursprünglichen Natur ihrer Heimat. Ohne die Anbindung an gewohnte Infrastrukturen und vertrauter Umgebung wird ein intensives Lernfeld außerhalb ihrer Komfortzone installiert. Die Möglichkeit, sich selbst in einem ungewohnten und herausfordernden Umfeld zu erfahren, erlaubt, brachliegende Ressourcen in Erscheinung treten zu lassen. Der Blick auf persönliche Themen eröffnet die Möglichkeit, seine Geschichte im Schutz der Gruppe zu teilen.

Groot Winterhoek Mountains

Zwei Stunden entfernt von Kapstadt schleichen sich aus dem Nichts kommende Hügelketten unschuldig ins Bild. Nach zwei Stunden Fahrt durch verschlafene Savanne erreichen wir Porterville. Der verschlafene Ort ist das letzte Zeichen Zivilisation, bevor wir ins Naturschutzgebiet eintauchen. Während auf der einen Seite der Straße Einheimische lokales Gemüse und Früchte wie Kartoffeln, Zwiebeln, Tomaten, Mangos und Äpfel versteckt unter schützenden Regenschirmen feil halten, bietet der Blick auf die andere Straßenseite gewohnte Infrastruktur. Die schnurgerade Durchgangsstraße ist gesäumt von Supermarktketten und chinesisch geführten Ramschläden, die sich nicht so recht in mein erwartetes Bild fügen wollen. Vom Nichtstun

erschöpfte Männer sitzen visionsverloren am Boden vor der schwingenden Eingangstür eines afrikanischen Edeka-Marktes. Zahnlose Gesichter mit faltig strahlenden Seelen beobachten uns ohne jegliche Art von Gefühlsregung, als wir die für drei Wochen nötigen Lebensmittel zu unserem Jeep schleppen. Kurz nach Verlassen der sprachlosen Ortschaft folgen wir einer der seltenen Abzweigungen in östlicher Richtung und steuern auf teerfreien Wegen schnurstracks auf die Berge zu. Mit ortskundiger Hand steuert Wiebke den Wagen über die Serpentinen, welche nach Durchqueren der letzten Steppenkilometer an den Berg lehnend geduldig auf uns warten. Dem Blick auf die zurückbleibende Steppe stellt sich aufziehender Nebel in den Weg, der mit jedem Höhenmeter mehr von unserer Anwesenheit verbirgt.

Basecamp

D as Ziel der Reise liegt in den verantwortlichen Händen von Alex, dem Educo Africa Basecamp Manager. Das Basecamp dient als Ausgangspunkt für die Kurse, und liegt inmitten des Naturreservats. Einfache Hütten aus Holz bilden dieses kleine Bergdorf. Eingehüllt in schleichenden Dunst herabdrückender Wolken liegt es schläfrig auf einer Anhöhe, nur die Umrisse bissiger Steinwelten drücken vorsichtig durch die Nebelwand. Weiß-schimmernde Fenster und Türen wirken einladend im Kontrast mit braun gehaltenen Bretterwänden und säumen auf beiden Seiten des schlummernden Camps die goldbraune Sandstraße.

1. Tag

M it Spannung erwarten wir am nächsten Morgen die Ankunft der Teilnehmer. Der Nebel ist verflogen, bei Sonnenaufgang überwältigt mich die wilde Schönheit des Ortes. Verstreut schmiegen sich karge Bergketten an den fernen Horizont, schützend und unaufdringlich legen sie ihre Arme um die schmächtigen Hütten. In der Ferne tauchen zwischen bizarren Steinskulpturen die voll beladenen, indischen Kleinbusse auf. Als zögen sie eine um die Wette laufende Staubwolke hinter sich her, wackeln sie zielstrebig auf das Camp zu. Eine Mischung aus bedächtiger Neugier und unverberglichem Herzklopfen steigt mit den 24 Seelen aus den Bussen. Ein Großteil von ihnen würde bei dem Gedanken an die bevorstehenden sechs Tage in freier Wildbahn dem Camp am liebsten direkt wieder den Rücken zukehren. Dennoch liegt ein Geruch von Herausforderung, Abenteuer und Wagnis in der Luft und mischt sich mit angstbenetzter Vorfreude auf die kommenden Tage.

Nach dem klassisch südafrikanischen Mittagessen, bestehend aus pappigem Toast, Salat, gehobeltem Schmelzkäse und Presswurst, finden sich alle zum ersten Arbeitstreffen auf dem Platz zwischen den Hütten im großen Kreis zusammen. Linda beginnt mit einem so genannten „Ice breaker". Das in Educo-Kreisen wohl bekannte „How Funky is Your Chicken" gilt als Garant für ausgelassene Stimmung. Sie verführt die Gruppe in einer fröhlichen, überzeugenden Art und Weise, die niemandem die Wahl lässt, sich nicht in ein „funky chicken" zu verwandeln und sich dementsprechend zu bewegen. Ich bin tief beeindruckt von Lindas bedingungsloser Präsenz und wie schnell sich jeder Einzelne in strahlender Bewegung wiederfindet. Der Name „Ice breaker" hat sich verdient gemacht, eine angenehme Leichtigkeit verbreitet sich und lässt der Herausforderung der kommenden Tage einen kraftvollen Einstieg vorausgehen.

Mit dem zweiten Bewegungsspiel „Mingle-Mingle" bilden sich für die Teilnehmer unbemerkt zwei Teams mit je zwölf Menschen. Linda flüstert mir zu, alle Farbigen (Coloureds) hätten sich in eine Gruppe geschmuggelt. Der Umgang mit interkulturellen Unterschieden bedarf in diesem Land immer noch eines hochsensiblen Feinblicks. Auch 20 Jahre nach Ende der Apartheid ist die Differenzierung zwischen Weißen, Farbigen und Blacks zu spüren. Jeder will sich mit seinen Wurzeln repräsentiert sehen. Aus genau diesem Grund ist auch die ethnische Zusammensetzung der Leitung gewissen Strukturen unterworfen. Vererbte Wunden wirken ungewollt aus der Vergangenheit in die Zeit.

Spätestens beim Besuch in einem der Townships in Kapstadt liegt es auf der Hand, dass trotz politischer Veränderung verhärtete Seelen sich im Zeitfenster mehrerer Generationen nach Umarmung sehnen.

Lindas Einführung hat das Eis zum Schmelzen gebracht, die Gruppe wirkt wach geküsst für den nächsten Schritt, für den wir uns in den Hütten zusammenfinden. Eine weitere Basis für die gemeinsame Zeit wird gelegt, Ziele und Regeln werden eingeführt.

Eng aneinander gedrückt auf schmalen Bänken und durchhängenden Sofas nähern wir uns den Leitlinien für den Kurs. Mit Humor und wacher Empathie übernehmen Steph und Rueben die Moderation. Rueben ist schon seit sieben Jahren bei Educo und Steph verbringt als Gast von Educo Canada ein Austauschjahr in Kapstadt. Durch die Form ihrer klaren Leitung benennen die Teilnehmer notwendige Regeln, die erst dann auf dem Flipchart festgehalten werden, wenn deutliches Nicken den gemeinsamen Konsens bestätigt.

Sehr schnell entsteht in der kleinen Hütte einer dieser magischen Räume, der den Teilnehmern das Gefühl verleiht, sich an ihn anlehnen zu dürfen. Ein Ort, der vieles ermöglicht, was im Trubel des Alltags keinen Platz findet. Wachstum und das Ausdehnen eingenommener Komfortzonen sind willkommen, und was sich als gemeinsames Bedürfnis herausstellt, mündet in der Absprache:

„What happens in the mountain, stays in the mountain."

Die persönliche Unterschrift auf dem Flipchart spricht von der Verantwortung jedes Einzelnen und verwandelt das beschriebene Papier in einen Vertrag, für den alle verantwortlich zeichnen wollen. Der „Full Value Contract" ist besiegelt.

Die Software für die Ausrichtung der kommenden Tage ist installiert. In der Hütte gegenüber wartet Alex bereits auf die Ausgabe der Hardware. Die charmante Unbeholfenheit der Studenten beim Packen lässt darauf schließen, dass dies für die meisten eine Premiere darstellt. Mit genauer Einführung im Umgang mit Schlafsack, Rucksack, Gaskocher etc. tauchen unwillkürlich angstbesetzte Fragen auf. Was ist mit Schlangen, Spinnen, Skorpionen, Pavianen? In einem Land wie Südafrika sind dies für Stadtmenschen sicherlich verständliche Bedenken. Linda und Steph wissen souverän mit der größten aller Ängste beim Übernachten im Busch umzugehen. „In den vergangenen zehn Jahren ist nicht ein Einziger von einer Schlange gebissen worden, also könntest du eher von Glück sprechen, würdest du überhaupt einer begegnen." Es folgt eine rege Diskussion, welche die Panik vor der Wildnis, dem Übermachten in der Natur nicht merklich lindern kann.

Ein weiterer großer Diskussionspunkt ist der Umgang mit „Number two", wie Steph das menschliche Bedürfnis der größeren Art umschreibt. Nicht nur, dass es in den Bergen keine Toiletten gibt. Was am meisten für Aufregung sorgt, ist die Tatsache, dass alles, was wir in die Berge mitnehmen, auch wieder mit zurückgenommen werden muss. Einschließlich des Toilettenpapiers. Das Verlassen der Komfortzone hat bereits eingesetzt, noch bevor die Gruppe den Naturraum betritt.

Der Abend endet auf der Terrasse hinter der Küche. Die Aufregung des ersten Tages mündet in ein rauschendes Fest. Selten habe ich junge Menschen so feiern, derart lebenshungrig und lebendig, lustvoll mit Gesang und Tanz verschmelzen erlebt. Die Kultur dieses Kontinents hat den Raum erobert und ist hautnah zu spüren, ich sehe Menschen hingebungsvoll verbunden mit der Wurzel ihrer ureigenen Kraft.

Zwei Stunden später beendet Rueben den Taumel und ruft zur letzten Arbeitsphase des ersten Tages. Der Kreis schließt sich allabendlich mit einem Check-Out. Die Kommentare zu diesem lebhaften Start sind überwältigend. Jeder erlaubt in irgendeiner Weise den Blick in seine Seele, tief leuchtende Augen unterstreichen Geschichten bewegter Menschen, die sich wissend bereits auf den Weg gemacht haben. „A good start!"

2. Tag

F rüh am kommenden Morgen folgt ein als „geringfügig" anzusehender Genrewechsel. Es ist angerichtet für „Spandex". So richtig erfasse ich die Idee dahinter erst dann, als ich mich wie im Kölner Karneval in einer unmöglich blamablen Kostümierung als undefinierbares Etwas mit dem Team johlend auf die draußen im Kreis wartenden Teilnehmer zustürmen sehe. Ein durchgehender Stil an Kleiderordnung ist definitiv nicht zu benennen. Jeder greift sich, was in der Hütte an Requisiten auf eine Zweckentfremdung wartet.

Wir stürmen inmitten der Wartenden. Jeder von uns sechs Teammitgliedern präsentiert der Gruppe hemmungslos aus der Nase gezogen eine wild spontan performte Warm-Up-Übung mit gnadenlos beeindruckendem Selbstverständnis. Die Studenten wissen gar nicht so recht, wie ihnen geschieht. Ohne das geringste Zeitfenster für Zweifel am persönlichen Bewegungsstil zu verschwenden, stecken alle inmitten einer durchaus beeindruckenden Fitness-Übung, die keine Zeit zum Einschalten kognitiver Kontrollinstanzen zulässt. In einer Mischung aus Unsicherheit, Gruppenzwang und Bewegungsfreude ist jeder im Kreis mitgerissen, seinen Teil der Unvernunft zu leben.

Nach dem Frühstück brechen wir auf zur ersten Aktivität in der Natur. Hinter dem Basecamp führt ein Jeep-Track auf rotbraun ausgedörrtem Boden den Hügel hinauf. Etwa 300 Meter oberhalb des Hüttendorfes passieren wir den Wasserspeicher für das Camp. Nach 20 Minuten erreichen wir die Anhöhe. Der aufreißende Nebel gibt die Sicht frei auf das sich weit unten erstreckende Land. Der Check-In gilt stets als Standortbestimmung und lässt ein erstes Gefühl für die Gruppe aufkommen. Die Stimmung wirkt etwas gedrückt, die Leichtigkeit von gestern ist einem Gefühl der Gewissheit gewichen, dass wir heute auch den letzten Rest an Zivilisation verlassen werden, um ganz in den Naturraum einzutauchen. Gekonnt macht Rueben die Sache spannend, was in der mitgebrachten Schachtel sein könnte. Educo liebe es, Geschenke zu machen, und Teil dieser Arbeit sei es auch, sich gegenseitig zu beschenken. Das Educo-Projekt-Tagebuch ist liebevoll gestaltet, enthält Geschichten, Weisheiten, leere Seiten, die Raum für eigene Gedanken lassen. Die Teilnehmer sind eingeladen, sich die „Journals" einander auszuhändigen, und dabei ein Kompliment und einen Wunsch für die kommende Woche auszusprechen. Erstaunlich, wie schnell sich ein Verklemmtsein breit macht, wie schwer es fällt, Wertschätzung zu teilen.

Steph übernimmt die Moderation und bereitet die Teilnehmer auf die nächste Übung vor. Sie spricht von all den Abschieden, die bis hierher bereits
stattgefunden haben, und dass ein weiterer Abschied von Vertrautem vor
ihnen liege. Der endgültige Übergang in die Wildnis, wo gewohnte Komforts
neu definiert werden müssten. Die Gruppe wird zu einem ersten kurzen Solo
von zehn Minuten entlassen. *(Eine weit verbreitete Intervention, in der jeder
Teilnehmer allein mit sich eine gewisse Zeit in der Natur verbringt, mit ihr in
Resonanz geht und den Moment auf sich wirken lässt.)* Jeder findet einen Platz
in Sichtweite und lässt zwei Fragen auf sich wirken: „Was lasse ich zurück?
Was bringe ich mit in die Gruppe?"

Das Thema „Solo" ist installiert, und wird in ein paar Tagen noch zu einer
essentiellen Erfahrung führen.

Das Erzählen mitgebrachter Geschichten vom Solo ist Teil der Arbeitskultur
bei Educo. „Counseling" eröffnet die Möglichkeit, gehört zu werden, sich mitzuteilen in einem Rahmen, den die Leitung als Schutzraum trägt und hütet.
(Das Council entstammt einer weit zurück reichenden Tradition und bedeu-

tet so viel wie gemeinsam zu Rate sitzen, mit dem Herzen sprechen und mit dem Herzen zuhören. Jeder hat ein bestimmtes Zeitfenster, innerhalb dessen er sich mitteilen kann, was auch immer es sein mag. Der Sprecher hat einen Sprechgegenstand, abgeleitet vom Redestab der Indianer. In unserem Fall ist es ein Stein, der nach Ende wieder in die Mitte gelegt wird, wo ihn der nächste Sprecher nehmen kann. Im sogenannten Mirroring spiegeln die Leiter wie auch die Teilnehmer das Gesagte aus dem Gesamtkontext heraus.)

Wieder macht die Gruppe einen riesigen Schritt. Welch große Wirkung diese kleine Zeit der Selbstbegegnung auf die Teilnehmer hat, ist in ihren Geschichten zu hören. Wir sitzen am Boden, lauschen den Erzählungen. Jeder spricht aus der Tiefe seines Selbst. Bertin hat in der Hingabe an die Hingabe jetzt schon die Führung übernommen. Seine Geschichte bewegt alle, und was er zurücklassen möchte, ist nicht zuletzt für westliche Ohren kaum zu ertragen: die Grausamkeit und Gewalt in Kriegsgebieten im Kongo, den Tod seiner Eltern, seiner Brüder, seine Flucht, seinen Neuanfang. Er spricht als Mensch, der Verantwortung für sein Leben und sein Schicksal übernehmen will, nicht als Anklagender oder Opfer. Seine Bereitschaft, sich einzulassen, diese Möglichkeit als außergewöhnliche Chance für die Begegnung mit sich selbst und anderen zu sehen, setzt einen hohen Standard.

Die erste Herausforderung

S ingend lässt der Tross nach dem Mittagessen das Basecamp hinter sich. Das erste Ziel ist nach einer knappen Stunde Weg auf schmalen Pfaden erreicht: der Kletterfelsen. Trügerisch freundlich und unscheinbar inmitten der kargen Steinwüste türmt er sich vor uns auf, als spräche er die Einladung zur ersten Herausforderung aus. Rueben hat im Vorfeld bereits das Setting eingerichtet, die Sicherungen und die Seile sind präpariert, ready to go.

Jeder wird an seine Grenzen gehen, es wird gelacht, geweint, geschrien, unterstützt, gehadert, gefordert, losgelassen, gekämpft. Klettern in seiner einfachsten Form als Metapher für Alles, was es im Leben braucht, wenn man sich ein Ziel steckt und sich auf den Weg dorthin begibt. Das Thema „Vertrauen" ist installiert, es geht darum den Mut aufzubringen, sich seinem Partner 100 Prozent anzuvertrauen, selbst wenn das eigene Leben daran hängt.

Es ist bereits später Nachmittag, jeder hat sich in irgendeiner Form der Herausforderung gestellt, es ist Zeit zum Aufbruch, zum ersten Nachtlager sind es noch zwei Stunden Weg. Mit voll gepackten Rucksäcken macht sich die Gruppe erwartungsvoll auf den Weg. Zuvor gibt Steph die Führung ab an die ersten beiden Protagonisten. Ausgestattet mit Karte und Kompass ist es ihre Aufgabe, die Gruppe sicher durch die Wildnis zu führen, und bei Ankunft für die Koordination des Abendessens zu sorgen.

Auf verwundenen Trampelpfaden, oder einfach nur querfeldein kehrt der bunte Haufen dem Kletterfelsen den Rücken. Bei einsetzender Dämmerung erreichen wir den angestrebten Platz, gespenstisch schön eingebettet in die vom Sonnenuntergang angestrahlte Bergwelt. Skurril beginnen die aus den vor Jahrmillionen übereinander geschobenen Gesteinsmassen im

Abendlicht lebendig zu werden, aus den Felsformationen werden lange Nasen, dämonenhafte Gesichter, gutartig beschützende und fürsorgliche Wesen.

Für die Teilnehmer geschieht alles zum ersten Mal: Planen zum Nachtlager auslegen, die für den Abend vorgesehenen Lebensmittel in Dreierportionen aufteilen, Wasser vom nahe gelegenen Fluss holen. Das Abenteuer hat längst begonnen, das Leben in seiner ganzen Wildheit liegt ihnen zu Füßen.

3. Tag

Ich liege schon lange wach, als sich bei aufgehender Sonne Steph an meinen Schlafsack heranschleicht und mich mit einem geflüsterten „good morning" aufzuwecken glaubt. Wir sind verabredet, um die Gruppe mit einem Jodler aufzuwecken. Leise schleichen wir inmitten der Schlafenden. Bis über die Köpfe eingemummelt liegen 12 Gestalten kreuz und quer auf engstem Raum, Nähe und Distanz erfährt in schutzbedürftigen Momenten eine andere Dimension. Aus der Stille heraus stehlen sich die leisen, zweistimmigen Töne des „Oipara" in den aufwachenden Tag hinein. Während einige wohlig grinsend wie Schildkröten aus den bunten Säcken hervorkriechen, verziehen andere missmutig die Gesichter, während Steph und ich uns mit zunehmender Lautstärke im Zweiklang baden. Ein bayerischer Jodler als Weckruf in den Bergen Südafrikas, bei Sonnenaufgang, ein Niederbayer und eine kanadische Erlebnispädagogin singen gnadenlos enthusiastisch für 12 schwarze Studenten.

Nach dem Frühstück treffen wir uns zum morgendlichen Check-In hinter einem Felsen, der uns Schutz vor der schnell zunehmenden Kraft der Sonne verspricht. Ich beginne mit einem kurzen Training im Stehen, um den Körper aufzuwecken, den Morgen zu begrüßen. Stille hören, Kontakt zum Boden aufnehmen, die Wirbelsäule abrollen, aufrollen, sanfte Dehnungen, eine einfache Bewegungsimprovisation, ankommen im präsenten Moment. Hingebungsvoll winden sich die geschmeidigen Körper vor dem Hintergrund der kluftigen Kulisse. Mit geschlossenen Augen lehnen sie sich an den grenzenlos wirkenden Raum. Es ist mehr als nur ein Sich-Bewegen, es ist ein Aus-Dehnen ins Leben, in den Moment hinein, ein Sich-Selbst-Beschenken. Wie schön Menschen sind, wenn sie sich ihrer ehrlichen Bewegung überlassen, sich treiben lassen von erwachten Impulsen, sich führen lassen von einer inneren Stimme, die nichts mehr will, als lautlos in den Moment hineinzutönen. Die Unsicherheit einiger Weniger wirkt nicht störend, allzu menschlich bei dem Maß an Vertrauen, das es braucht, sich diesem Raum hinzugeben, der vielleicht zum ersten Mal im Leben betreten wird.

Die Teilnehmer sind überwältigt, berührt vom einfachen Sein in der Natur, bewegt vom gegenwärtigen Erleben. Beim anschließenden Check-In fallen Begriffe wie tosende Stille, Freude bringende Weite, ehrliche Schönheit und eine Wildnis, die in ihnen berührt wurde. Ein Gefühl von Sprachlosigkeit

macht sich breit, ausgelöst durch bloßes Sein in der Natur, nie gefühlter Respekt und Angst vor ihr, Angst vor der ersten Nacht, vor der Begegnung mit sich selbst, vor dem, was in Ungewissheit da draußen die kommenden Tage auf sie wartet.

Steph übernimmt und bringt ein weiteres Element in die Arbeit, „Guardian Angels". Jeder wird ein „wachender Engel" für jemand anderen sein, und jeder wird einen wachenden Engel an seiner Seite haben, ohne zu wissen, wer dieser Engel ist. Per Los werden die Partner zugeteilt. So haben alle einen „Engel" an ihrer Seite, der nur darauf wartet, in einem besonderen Moment unterstützend und wach aktiv zu werden. Der eigenen Phantasie über das „wie" sind dabei keine Grenzen gesetzt. Spätestens ab jetzt ist eine Kultur der Fürsorge installiert, ein Hinausblicken über den Tellerrand des eigenen Wohlbefindens. Und ab jetzt beginnt jeder zu rätseln, ob der kleinen

Geschehnisse, die wie von Geisterhand die Reise begleiten. Erst am letzten Tag im Basecamp wird nach großem Raten unter schallendem Gelächter das Geheimnis gelüftet werden, wer für welche Engelstaten zuständig war.

Bevor wir weiterziehen, werden zwei neue Gruppenführer benannt, die auf der nächsten Wegstrecke ihren Führungsstil erproben können. Auf schmalen Pfaden ziehen wir durch wechselhafte Landschaft. Die vielstimmigen Klangfarben der lauthals gesungenen Gospels werden zum steten Begleiter auf dem Weg durch die mannshohen Buschgräser. Die Melodien berühren und lassen erahnen, wie tief die Tradition des Singens in dieser Kultur verwurzelt ist.

Ein vierstündiger Marsch steht uns bevor, vor der Mittagshitze wollen wir das nächste Ziel erreicht haben. Mit Karte und Kompass ausgerüstet führen die beiden Leader die Gruppe durch die verschlungenen Pfade und weiten Steppen der Wildnis. Jeweils an der Spitze wie am Ende der in den Tag hinein ziehenden Karawane versuchen sie, durch hochkonzentriertes Auftreten der Gruppe ein Gefühl von Sicherheit zu vermitteln, was ihnen unterschiedlich gut gelingt. Dennoch ganz und gar ihrer Aufgabe hingegeben lockt der Auftrag, in Verantwortung für die Gruppe zu sein, versteckte Talente, unerkannte Kräfte und selbstverständliche Präsenz dürfen sichtbar werden. Die erfahrene Leitung von Steph und Rueben im Hintergrund verleiht genügend Sicherheit, sich in der Rolle des Führers zu entfalten und der Verbindung zu intuitivem Wissen neu entdecktes Vertrauen zu schenken. Jeder von ihnen ist bereits auf dem Weg. Auf dem Weg, Schritte zu tun, die am Ende der Woche andere, geläuterte Menschen ins Lager zurückkehren lassen werden. Entwicklung geschieht, einfach so.

Das angestrebte Ziel zum Mittagessen liegt auf einer Anhöhe, die nach dem Überqueren eines glasklaren Gebirgsbaches noch eine knappe Stunde schweißtreibenden Aufstieg kostet. Die Sonne steht am höchsten Punkt am Himmel, als wir unsere schweren Rucksäcke erschöpft unter den riesigen Eichen ablegen, die von europäischen Siedlern hier im 19. Jahrhundert gepflanzt wurden. Die Führer übernehmen die Organisation des Mittagessens. Jetzt stellt sich heraus, wie gut die Logistik funktioniert. Wer hat was in welchem Rucksack? Wo ist der Toast, wer hat die Tomaten?

Die ausführliche Pause nach dem Mahl nutzen Steph, Rueben und ich zum Dösen und um Gedanken niederzuschreiben. Die Sonne brennt jetzt gnadenlos auf uns herab, und erst am frühen Nachmittag wollen wir weiter ziehen. Ein Teil der Gruppe führt in unmittelbarer Nähe in unglaublicher Lautstärke nicht enden wollende Diskussionen. Ich frage mich, ob Stille auch Angst auslösen kann, und was es bräuchte, um Menschen wieder an eine Kultur des Lauschens heranzuführen. Das Schaffen eines ausgedehnten Bewusstseins, das jedem die Möglichkeit gibt, Mitgestalter einer ihn umgebenden Klangwelt zu sein, sich verantwortlich zu fühlen für das, was an unsere Ohren dringt. Ich ertappe mich dabei, europäisches Empfinden am anderen Ende der Welt als Maßstab anzulegen und schaue jetzt beschämt auf die lebhaft diskutierende Gruppe, von der viel Lebendigkeit und Lebensfreude ausstrahlt. Was mag es wohl bedeuten, in einem Township aufzuwachsen, ohne privaten Raum, ohne Rückzugsmöglichkeit, ohne gelernt zu haben, einer Stille lauschen zu können? Stille?

Am späten Nachmittag erreichen wir nach weiteren zwei Stunden das Tagesziel. Schon von der Weite kann man sie erkennen. Mächtig und anziehend ragen die beiden Eichen aus der Savanne. Tiefgrün saftiges Blätterwerk hängt an den sich weit übers Lager ausdehnenden Ästen, die für angenehme Kühle sorgen. Der Platz strahlt eine angenehme Ruhe aus, vertrauenserweckend und einladend. In Bayern wäre sicherlich ein Biergarten daraus geworden, für uns ist es ein idealer Ort für eine weitere Arbeitssequenz, das „feed forward" für die bisherigen vier Führer.

Feed Forward

Wie immer sitzen wir am Boden im Kreis. Wie wurde der Führungsstil jedes Einzelnen erlebt? Wie die Zusammenarbeit in den Führungsteams? Jeder der Gruppe hat die Möglichkeit, seine Erfahrung über die Qualität der Leitung mitzuteilen. Für beide Seiten eine große Herausforderung. Annehmen und Zuhören können, ohne sich zu rechtfertigen, jemandem seine Erfahrung mitteilen, ohne ihn zu bewerten. Für die meisten stellt es eine ungewohnte Situation dar, in einem Kontext von Kritik nicht bewertende, sondern wertschätzende und wohlwollende Informationen über eine Lernsituation zu erhalten.

Langsam verliert die Sonne ihre Tageskraft an dem einsetzenden Abend. Tiefliegende Strahlen bahnen sich den Weg durch dichtes Laub und tauchen den Platz in ein magisches Licht. Steph leitet die letzte Arbeitssequenz des Tages ein. Es wird noch eine weitere Möglichkeit geben, mit sich in der Natur zu sein, das zweite Solo, dieses Mal etwas länger. Sie nimmt Bezug auf die Erfahrung beim Klettern. Wie war das denn, die Herausforderung anzunehmen, trotz aller Schwierigkeiten bis zum Gipfel zu gelangen, nicht aufzugeben; und welchen Teil hatte dein Partner dabei, der dich gesichert hat? Wie war es, loszulassen und dein Leben dem Partner anzuvertrauen? Sie lädt ein, an dieser Stelle zu überlegen, wer in deinem Leben die Rolle des Unterstützers, Beschützers einnimmt. Vielleicht gibt es ja mehrere Menschen, vielleicht auch nur einen. Wer ist da für dich in schwierigen Momenten? Wer

fängt dich auf, wenn du fällst? Wer in deiner Gemeinschaft ist dieser Mensch, und warum tut er das für dich? Erinnere dich an eine schwierige Situation in deinem Leben. Wie wurdest du unterstützt?

Hörbare Stille

Jetzt ist die Stille hörbar. Eine angenehme Betroffenheit liegt über dem Kreis. Noch immer sitzen wir auf dürrem Boden unter der Eiche. Jeder ist in Gedanken bereits unterwegs in seine ganz persönliche Welt, lehnt sich innerlich an Grenzen seiner Berührbarkeit. Eine sich einschleichende Intimität und Nähe erobert sprachlos den Raum, so als wäre mit dieser Aufgabe endgültig die Grenze gesprengt, die im Alltag von Kapstadt als Schutzraum Wache steht. Die Gruppe wächst zusammen, und es ist der richtige Moment, eine weitere He-rausforderung zu installieren. Eine Herausforderung, die keine physischen Kräfte braucht, sondern ein sich Einlassen auf sich selbst, irgendwo alleine da draußen, wenn auch in Reich- und Sichtweite des Lagers und der Anderen.

Nach einer halben Stunde kehren die Teilnehmer schweigend zurück. Zikaden teilen mit ihrem Gesang die anmutige Stille, die sich mit dem Klang des Windes, der genüsslich durch den Blätterwald rauscht, im Kreis verteilt.

Wie ganz wenige ihrer Artgenossen haben Zikaden die Kraft, Teil einer Stille zu sein, sie noch schöner erklingen zu lassen. Und an diese Stille lehnen sich die Geschichten von Kmutala, Aletta, Nonzaliseko, Tobani und all den anderen.

Lange noch klingen sie in mir nach, als ich in meinem Schlafsack unter kitschig schönem Sternenmeer mich an meine Beschützer zu erinnern versuche. Zolieka singt mit ihrer unbeschreiblich schönen Stimme ihr Gute-Nacht-Lied, nur so laut, dass kein Ton übers Lager hinausdringen kann und somit verloren wäre. Es ist, als berühre ihre Stimme den Raum, der die Gruppe umgibt, als ob etwas Größeres als wir eine schützende Hand um sie legte, um uns alle. So als wolle sie der Gruppe das Gefühl von Geborgenheit geben, weit weg von jeglicher Zivilisation, inmitten der Wildnis. Eine Geborgenheit, die mich an ihre Geschichte erinnert, in der sie sich selbst am meisten nach ihr sehnt.

4. Tag

Wie gewohnt wecken Steph und ich die Studenten mit dem „Oipara", und wie gewohnt sind die Reaktionen durchgehend wohlwollend – beinahe durchgehend. Dennoch ist eins zu spüren. Eine gewisse sich wiederholende Routine zieht ein, und Routine steht auch dafür, dass Menschen sie für ihr Sicherheitsbedürfnis installieren. Gehört es nicht zu jugendlichem Alter, sich mürrisch aus dem Schlafsack zu schälen und nach diesem Gewaltakt dem bösen Ruhestörer mit zickigem Gesicht nonverbal das Gefühl zu verleihen, er sei Schuld an der Frühe des Morgens? Toilette in der Wildnis, Planen falten, Rucksack packen. Es geschieht, als wäre es nie anders gewesen. Jeder übernimmt Verantwortung, jeder hilft, wo andere auf Engel warten. Die Verantwortlichen fürs Frühstück verteilen portionierte Müsli-Päckchen auf zum Tisch umfunktionierten Steinformationen, dazu Milchpulver, Kaffee und Kakao. Wen wundert's, Schoko ist als Erstes aus. Wer zu spät kommt, greift mürrisch zu Hawaii fruit oder Banane. Dennoch. Niemanden mehr scheint es auch nur im Ansatz zu stören, ohne jegliche Verbindung zur Zivilisation sich inmitten einer völlig befremdenden Welt zu bewegen. Ohne die Qualitäten menschlicher Zivilisation. Dusche, Küche und Toilette. Gaskartuschen zischen unter kochendem Kaffeewasser. Verstörte Gesichter und Flüche, nachdem der Wassertopf vom Kocher rutscht, just in dem Moment, als das Wasser eben heiß genug war, um sich über pulverisierten Instant-Kaffee ergießen zu können. Hämisch versickert es im Sand, als wolle es sagen: Tja, Anfänger-Pech!

All das ist Teil des Prozesses auf dem Weg, sich selbst zu bewohnen, über sich hinauszuwachsen, sich auszudehnen.

Die Hel

R ueben ist wie Steph ein exzellenter Moderator. Geschickt baut er am Morgen die Spannung auf für den Tag, für den weiten Trekk, den besonderen Ort, den bisher nur wenige zu Gesicht bekommen haben. Zu versteckt liegt er in einem abgelegenen Tal des Reservoirs. Er bringt Metaphern zum Leben: hinabsteigen, sich einlassen, etwas beginnen, hinaufsteigen, etwas beenden, auf den Grund von etwas gehen, sich etwas verschreiben. Und vielleicht verbirgt der heutige Weg versteckte Möglichkeiten, die Engel zu beleben. Das Gepäck lassen wir zurück, der schöne Platz bei den Eichen wird uns eine weitere Nacht Schutz gewähren. Eine Nacht, die für alle zur größten Herausforderung der Woche werden wird.

Die vier Stunden Trekking durch die Hitze des Tages zeigen, dass der Rückweg zum Camp für einige eine große Herausforderung darstellen wird. Aber noch sind wir nicht angekommen. Der Name auf dem verwitterten Schild weist den Weg zum Wasserfall „Die Hel". Der gefährliche und zum

Teil ausgesetzte Abstieg in die Schlucht steht noch bevor. Nach den ersten Metern dem steilen Pfad abwärts folgend ist das Rauschen bereits zu hören, und einige Meter weiter schon eröffnet sich die glorreiche Kulisse von „Die Hel". Weit unten, am Ende der Schlucht stürzen tobende Wassermassen ins tiefdunkle Wasser, von dem Rueben erzählte, der Grund sei noch nie erforscht worden. Ein Mythos ranke sich um ihn, dass diejenigen, die versucht hätten, dies zu tun, nie mehr gesehen wurden.

Als ich als Letzter unten ankomme, steht die Gruppe auf dem rötlich in der Sonne glänzenden Felsen und schmettert den „Oipara" lauthals an die schroffen Wände, welche den Ort umzingeln. Zwischen den vor Jahrmillionen gebildeten Schieferschichten an den 300 Meter hohen Steilwänden suchen zaghaft kleine Kieferarten Halt, um dann als krumm gebogene Äste über dem Abgrund zu schweben. Glücklich strahlende Gesichter ob der Wunder der Natur. Wir verbringen den halben Tag in der Schlucht. Mit Schwimmwesten tobt ein Teil de r Gruppe in dem Gumpen, der auf der anderen Seite des Wasserfalls sicheres Baden zulässt. Nach den Strapazen der vergangenen Tage ein willkommenes Geschenk.

Auf halbem Weg des Aufstiegs führt uns Rueben mit einem Abstecher zu einer Höhle. Verborgen liegt sie einem abweichenden Pfad folgend unfern

des Weges. Wie eine ausgelöffelte Riesenmuschel thront sie in der Höhe, fest eingenistet im rauen Felsen. Ein sichtbarer Beweis, dass schon unsere Vorfahren vor 14.000 Jahren ein Gespür für gute Plätze hatten. Genau oberhalb der Schlucht kontrolliert sie das gesamte Gebirgsmassiv, tief unten der See mit nie endendem Toben des Wasserfalls. Die Höhlenmalereien zählen zu den ältesten je

entdeckten Darstellungen von Mensch und Tier. Beinahe andächtig stehen die Teilnehmer vor den Zeichnungen. Mit der Vorstellung, wie Menschen damals wohl gelebt haben mögen, kehren wir zurück auf den Weg.

Der letzte Teil der Strecke gestaltet sich wie schon geahnt als große Herausforderung für Alletta. Ihr hohes Gewicht und ihr Kreislauf machen ihr zu schaffen. Ständig muss sie sich setzen, Wasser trinken, Atem schöpfen. Fürsorglich kümmert sich die Gruppe um ihr Wohlbefinden, so dass wir am späten Nachmittag in der vertrauten Umgebung der liebgewonnen Eichen ankommen. Stolz wird Alletta am Abend berichten, dass sie es geschafft hat, obwohl sie selbst schon daran gezweifelt hatte. Und dass sie sich daran erinnern wird, sollte ihr im Leben wieder mal die Luft ausgehen.

Das zweite Mal am selben Ort zu übernachten lässt bereits ein Gefühl von Heimat entstehen. Eine gewisse Vertrautheit liegt über dem Ort wie eine immer schon da gewesene Geborgenheit. Die Stimmen der Teilnehmer über den Tag sind überschwänglich. Es war wie im Himmel, endlich kann ich erzählen, dass ich auch etwas weiß, etwas erlebt, etwas gesehen habe, sagt Anathi. Für Zoleka war es das erste Mal, in einem See zu schwimmen, noch nie in ihrem Leben war sie gar an einem Fluss. Nomphelo spricht davon, dass wir Natur respektieren müssen, und dass sie immer dachte, sie sei alleine. Aber man müsse nur um sich blicken, den Blick weiten und offen sein für andere Menschen.

Über Nacht alleine

Die Gruppe hat an diesem Tag einen physischen Berg erklommen, weiß aber noch nicht, dass die größte He-raus-forderung des Tages, des Kurses noch vor ihnen liegt. Das physische Hoch und Tief in den Bergen, der Weg dazwischen, was hat das mit unserem Leben zu tun? Was bedeutet es für die Teilnehmer, in der kommenden Woche mit dem Studium zu beginnen? Wo wollen sie in vier Jahren stehen? Was wollen sie zurück bringen in ihre Gemeinschaft, die sie auf diesem Weg unterstützt?

Die erste Nacht alleine in der Wildnis steht vor der Tür. Der Schritt, die Gruppe zurück zu lassen, eigene Wege zu gehen, die Einladung zum Solo. Es ist das Angebot, die Zeit als Geschenk zu sehen, einen Dialog mit sich selbst zu führen und sich zwei Fragen zu widmen. Was ist meine Vision für das Studium? Wer bin ich? Und wie bei jedem Antritt einer Reise macht es Sinn, zu schauen, wo gehe ich los, wo stehe ich. Ein Raunen zieht Kreise, Ängste werden benannt, Angst vor dem alleine sein, Angst vor der Dunkelheit, vor Schlangen, Spinnen, Affen. Rueben möchte ihnen nicht die Angst nehmen, sie ist da, und sie hat ihren Platz. Aber er erinnert an die 11 Menschen aus dem Team, die in unmittelbarer Nähe durch dieselbe Erfahrung gehen. Er erwähnt die andere Gruppe, die auf der anderen Seite des Berges alleine die Nacht verbringt. Und er spricht von den 48 Studenten, die vor einer Woche hier in den Bergen waren, von den vielen Studenten der vergangenen Jahre und all jenen, die noch kommen werden. Als sie erfahren, dass sie diese Nacht auch ohne Essen verbringen werden, ist für einen Moment nur das Rauschen der Blätter zu hören, bevor die einstellende Beklommenheit in unsicheres Gelächter mündet. „Nur ein Mahl", sagt Zolieka, und nimmt der Situation die Anspannung.

Wieder führen Steph und Rueben so einfühlsam an diese Herausforderung heran, dass selbst denen, welchen die Angst ins Gesicht geschrieben steht, gleichzeitig der Wille und die Bereitschaft anzuerkennen sind, sich diese Angst nicht im Wege stehen zu lassen. Das Solo ist installiert, die Herausforderung steht im Raum. Schweigsam packen die Teilnehmer Schlafsack, Wasser und Tagebuch.

Mit kleinen Zweigen und runden Hölzern bilden wir etwas abseits des Camps einen kleinen Kreis. Die Schwelle, der Übergang. Ehe sie an ihren Platz ziehen, tritt jeder mit einem bewussten Schritt in diese Mitte, bevor mit einem bewussten, ersten Schritt das Solo begonnen wird. Nach dem Heraustreten aus dem Kreis sind die Teilnehmer für uns unsichtbar und auf sich alleine gestellt. Ängstlich, stolz und bereit treten sie ihren Weg an und ziehen zu ihren Plätzen. Alle sind in gehbarer Reichweite von 10 Minuten Weg zum Camp. Nachdem wir alle ihre Orte wissen, ziehen wir uns ins Lager zurück. Mit aller Wachheit über die 12 Seelen da draußen entwickelt sich der Abend zu einem lebhaften Gedankenaustausch über unser Leben, unsere Träume, Visionen und Herausforderungen. Ja, ich habe sie lieb gewonnen, Steph und Reuben, beide erst Mitte zwanzig, und erlebe sie mit einem ausgeprägten feinstofflichen Gespür für Menschen und deren Prozesse. Ich nehme sie wahr als angehende Meister der Empathie, des Moderierens, des

Zuhörens und des Gestaltens von Räumen, die zu Entwicklung einladen. Ihre liebenswerte Präsenz mischt sich mit diesem Spritzer spitzem Humor, den es für mich braucht, um sich mit Menschen wohl zu fühlen.

Während die Sonne müde hinter der Hügelkette verschwindet, laufen einige noch nervös an ihrem Platz hin und her, bis dann irgendwann alle in ihren Schlafsäcken verschwunden sind. Bei den nächtlichen Rundgängen spüre ich einen tiefen Frieden über dem Land, aus einigen Schlafsäcken ist sogar ein zufriedenes Schnarchen zu hören. Das grelle Licht des Mondes liegt spiegelnd über der Hochebene, so dass ich ohne Taschenlampe den Weg finden kann.

Der Morgen nach dem Solo

Noch vor den ersten Sonnenstrahlen krieche ich aus meinem Lager und mache einen letzten Gang. Alles ist ruhig, einige sind bereits wach, kruscheln in ihren Sachen, sitzen auf einem Felsen und schauen gedankenverloren in den aufsteigenden Tag oder schreiben in ihr Tagebuch. Mit Steph bereite ich das Frühstück vor. Es gehört zum Ritual des Solos, dass die Rückkehrenden ein frisch zubereitetes Frühstück vorfinden, an diesem Tag besonders feudal.

Erst gegen 8.00 Uhr schwirren wir an die unterschiedlichen Plätze und geben das Zeichen für die Rückkehr. Es dauert noch eine halbe Stunde, bis sie aus allen Richtungen den Weg zum Camp zurückfinden. Erst nachdem sie den Kreis durchschritten haben, sind sie für uns wieder sichtbar und zurück in der Gruppe. Einige sind immer noch mit sich und meiden Kontakt, andere können gar nicht an sich halten und platzen mit ihren Geschichten in den Morgen. Nach dem Frühstück beginnt ein weiterer Höhepunkt der Woche, das „Council".

Die Teilnehmer wirken verändert, tief in sich ruhend, bewegt, leicht. Die vergangenen Tage und Nächte waren sie in unterschiedlich langen Zeiträumen mit sich alleine in der Natur, mündend in diese vergangene Solonacht. Die Offenheit und Verletzbarkeit in den Geschichten, die sich offenbaren, sind von großer Tiefe. Es ist mucksmäuschenstill, als Bertin aus dem Kongo zu seiner Geschichte ansetzt. Er sprach die ganze Nacht mit einem Ast, in den Verzweigungen erkannte er seine Familie. Er hat sich nach Heilung gesehnt

und sie hier in den Bergen gefunden. Dieser Platz sei der schönste Ort, an dem er in seinem Leben je war. Jetzt möchte er seinen Träumen folgen, nach dem Studium will er seine eigene Firma gründen.

Felicity erzählt unter Tränen vom Unfalltod ihrer Mutter vor einem Jahr, und dass sie die Trauer darüber in dieser Nacht gelassen hat. Sie habe seitdem nicht mehr gelacht und möchte nun endlich zum Leben zurück finden. Im Gesicht des Mondes habe sie ihre Mutter gesehen und mit ihr gesprochen, und sie hat viel geweint. Im Township wäre das alles nicht möglich. Ständiger Lärm, viele Menschen, Fernsehen, laute Musik und nie die Möglichkeit, sich selbst zu erleben, zu entdecken, in sich zu lauschen.

An dieser Stelle soll nicht der Eindruck entstehen, Tränen und Schmerz seien ein Garant für gelungene Arbeit. Vielmehr erkennt die Gruppe aus sich selbst die Geschenke dieser Tage und die Kraft der Natur und die Qualität von Stille. Sie haben Höhen und Tiefen eines Selbsterfahrungsprozesses durchlebt, sind physisch und psychisch an ihre Grenzen gegangen. Alleine auf sich gestellt sind sie gestern hinausgezogen, um heute ihre Geschichten zu erzählen. Sie erzählen von der Nacht, vor der sie so unglaublich viel Angst hatten, den Begegnungen mit wichtigen Menschen, mit Pflanzen, Spinnen und Käfern, dem Mond und mit sich selbst. Sie erzählen von den Geschenken, die ihnen beschert wurden, den Tränen und dem Lachen. Sie lassen sich berühren von ihren eigenen Worten und denen der Anderen. Und wenn sie morgen in die Zivilisation zurückkehren, werden sie nicht mehr die sein, als die sie nur ein paar Tage zuvor in die Berge gezogen sind. Sie werden ihre Visionen und Träume mit in den Alltag in Kapstadt nehmen. Wahrscheinlich wird er sie auch einholen, der Alltag. Aber jeder von ihnen wird Herausforderungen im Leben jetzt mit einer anderen Haltung gegenüber treten. Und vielleicht sogar sich selbst.

Zurück im Basecamp

N ach einem langen ermüdenden Marsch campieren wir in Reichweite des Basecamps, um am nächsten Morgen erneut auf die andere Gruppe zu treffen. Der Kreis schließt sich. Die Teilnehmer bauen noch Masken aus Gips und bemalen sie an langen Tischen, laut schwätzend oder stumm, mit den Farben ihrer Erfahrungen. Und als sie schon in den Bussen auf die Abreise nach Kapstadt warten, ertönt aus strahlenden Gesichtern noch einmal der „Oipara".

Resümee

Neben der Zeit in den Bergen konnte ich auch meine Arbeit als Choreograf und Tanzpädagoge mit vielen Menschen teilen. Diverse Tanz-Workshops in Kapstadt – mit 320 Schülern, ehemaligen Absolventen der Educo Wildnis-Kurse, mit Straßenkindern in den Townships auf Betonboden zwischen Präservativen und alten Autoreifen sowie mit lokalen Sozialarbeitern – waren eine weitere Bereicherung meines Aufenthalts in Südafrika. Sie zeigten mir erneut, wie sehr Tanz und Musik ohne Sprache zurechtkommen und wie eine allen Menschen innewohnende Sehnsucht nach Bewegung und Ausdruck verbindet.

In den vielen Jahren meiner Arbeit als Choreograf und Tanzpädagoge sind mir unzählige bewegende Situation und Erlebnisse in Erinnerung, und immer berührt diese Arbeit auch mich selbst. Diese Tage in den Townships und in den „Great Winterhoek Mountains" zähle ich zu den besonderen, zu den bewegtesten.

Die Zeit in Kapstadt steht für mich in Verbindung mit einer Kultur des Sich-Mitteilens, einer Kultur vom Erzählen und Zuhören. Und vielleicht ist es das, was mich in diesen Wochen am meisten ergriffen hat, das Teilhaben-Dürfen an vielen Geschichten. Vielleicht aber auch ein Erleben eben dieser Kultur, die Menschen zusammenführt, die Räume eröffnet, wo jedem wertschätzend Aufmerksamkeit zuteil wird. Mit dem Herzen sprechen, mit dem Herzen zuhören, wie einfach das doch tönt.

Ich durfte eintauchen in eine Kultur des Geschichten-Erzählens und des Lauschens. Eine Kultur, die es vorsieht, junge Menschen daran zu erinnern, dass wir alle unsere Geschichten in uns tragen. Alles, was wir mitteilen, ist nun nicht mehr nur unsere persönliche Geschichte, es darf in seiner Reinheit, seiner Ehrlichkeit und Kraft auch anderen dienen.

Extreme Naturerfahrung, Gruppenerfahrung, Einsatz künstlerischer Ausdrucksformen (Theater, Tanz, Musik, Sprache) sind elementare Bestandteile der gelebten Vision von Educo Africa. Dieser Vision möchte ich wünschen, dass es immer wieder genügend finanzielle Mittel geben mag, um am anderen Ende der Welt diese berührende und lebensgestaltende Arbeit zu ermöglichen.

Ich kehre zurück nach Europa als jemand, der sich reich beschenkt fühlt. Reich beschenkt von einer Großzügigkeit, einer Offenheit und einer Hingabe an das Leben. Und es lässt mich beschwingt nach vorne schauen mit Werten im Gepäck, die auch mein Leben nicht unberührt ließen:

Mut, Anerkennung, Dankbarkeit und Demut.

Und mein ganz besonderer Dank geht an Wiebke Nedel, die Leiterin der internationalen Kontakte bei Educo Africa. Ihre großzügige, liebevolle und professionelle Unterstützung hat mir die Möglichkeit eröffnet, in kurzer Zeit meine Arbeit mit unzähligen Menschen teilen zu können.

Über den Autor

Josef Eder
Freischaffender Künstler und Trainer, München
Choreograf
Tänzer
Schauspieler
Systemischer Erlebnispädagoge (Plano Alto)

Globalisierung outdoor vermitteln

Andreas Joppich

D er Ansatz des Globalen Lernens in der Freizeit basiert darauf, spannende Freizeitaktivitäten mit politischen Inhalten anzureichern, ohne dabei die wesentlichen Bedürfnisse der Jugendlichen nach Bewegung, Spielspaß, Abenteuer einzuschränken. Mit einem Geländespiel wird Klimawandel nur noch halb so komplex. Mit einem Live-Krimi rückt der brasilianische Regenwald oder die Kinderarbeit in Bangladesch näher. Die Auswirkungen möglicher Zukunftsszenarien auf individuelle Biografien werden in einem Filmprojekt sichtbar. Ein Verständnis für Flüchtlinge erfolgt durch eine erlebnispädagogische Nachtaktion.

Live-Krimi

D er Live-Krimi verbindet Elemente der Erlebnispädagogik, des Live-Rollenspiels und der politischen Bildung. Die Schüler/innen schlüpfen in eine Rolle und erkunden so, motiviert durch den kriminologischen Aspekt, eine für sie neue Gegebenheit. Dabei besuchen sie ausgehend von einem Startpunkt verschiedene Stationen, an denen sie auf Rollenspieler/ innen treffen. Es findet eine Interaktion statt, in der die Jugendlichen zunehmend ein Verständnis der Hintergründe erlangen. So können sie am Ende den Kriminalfall lösen und gleichzeitig die komplexen inhaltlichen Zusammenhänge verstehen. Da sie nicht nur Erkundungen durchführen, sondern am Ende eine Lösung des Problems suchen, wird ihre Handlungskompetenz gefördert.

Beispiel Live-Krimi: Zum Mord am brasilianischen Umweltaktivisten Chico Mendes sind noch immer Fragen offen. Jetzt sollen Jugendliche helfen. In einem abenteuerlichen Live-Krimi müssen sie im Regenwald durch gigantische Spinnennetze kriechen, sich über gefährliche Flüsse hangeln, begegnen Gummizapfern, Soldaten, Großgrundbesitzern und Umweltschützern. Werden sie es am Ende schaffen, den Fall aufzuklären? Während des Aktionstages erleben die Kinder, wie Großgrundbesitzer ihre Felder zunehm-

Bild 1: Holzfäller im Live-Krimi „Mord im Regenwald"

end in den Regenwald am Amazonas ausdehnen, um Produkte für den Export zu erzeugen. Dabei vernichten sie nicht nur große Flächen Regenwald, sondern rauben auch den dort lebenden Menschen die Lebensgrundlage.

Geländespiel

G eländespiele bestehen aus einer Mischung von Fantasie, Bewegung und Strategie. Diese Kombination bietet vielfältige Anknüpfungspunkte für Inhalte des Globalen Lernens. Meist geht es in den Spielen um den Wettkampf verschiedener Teams. Im Mittelpunkt steht eine Aufgabe, die zum Ende gelöst werden muss. Diese ist in eine Geschichte eingebunden, welche der Aufgabe einen Sinn gibt. Um die Aufgabe zu erfüllen, gibt es Wettkampfregeln, welche bestimmen, wie die einzelnen Mannschaften die Aufgabe lösen können. Geländespiele lassen sich aber auch als New Games realisieren, d.h. als Spiele, die den Wettkampfcharakter aufheben. Alle Teams arbeiten dann an einem gemeinsamen Ziel. Die Methode des Geländespiels ist besonders geeignet, systemische Zusammenhänge nachzubilden und zu verdeutlichen.

Beispiel Geländespiel: Die Energiereserven der Erde (Öl, Gas) sind nicht unbegrenzt verfügbar. Es wird zunehmend schwieriger, die Vorkommen abzubauen, der Verbrauch jedoch steigt. Die Schüler/innen vertreten die drei großen Nachfrageländer bzw. -regionen USA, EU und China. Sie versuchen, für ihr Land möglichst viele der Energieressourcen zu sichern. Dabei setzen sie militärische Maßnahmen, Finanzkraft oder Diplomatie ein.

Das Spiel besteht aus drei sich wiederholenden Phasen. In der ersten Phase werden über Wettkampfspiele Machtmittel erworben. In der zweiten Phase müssen die Schüler/innen die im Gelände verteilten Ölquellen suchen. Zuletzt können sie ihre Machtmittel einsetzen und damit um die Quellen pokern.

Bild 2: Wettkampf um Machtmittel aus dem Geländespiel „Jagd nach Öl"

Weitere Informationen unter http://www.globalisierung-freizeit.de und im Buch „Think Global!" beim Verlag an der Ruhr http://www.verlagruhr.de

Über den Autor

Andreas Joppich
Freischaffender Fundraiser und Projektentwickler, Berlin
Diplom Logistik
Zirkuspädagoge
pädagogischer Mitarbeiter für das Internationale Haus Sonnenberg
Mitarbeiter im Entwicklungspolitschen Bildungs- und Informationszentrum, Berlin.
Aktiv in BUNDjugend, SCI, Initiativen-Partnerschaften Eine-Welt, AIESEC
Mitbegründer des Unterwegs e.V.

PRAXIS

Slacklining: on-line in nature

Karina Falke

S lacken kommt daher wie eine Trendsportart – jedoch birgt sie in sich
einen unerwarteten Reichtum an Möglichkeiten, junge Menschen auf
Ebenen zu erreichen, die weit über sie hinaus und doch tief in sie hinein
führen. Über das Laufen auf der Slackline können gerade Jugendliche eine
Haltung zum Umgang mit Sicherheit und Risiko, eine Beziehung zur Natur
und ein Gefühl für das eigene Befinden entwickeln. Für die pädagogische
Praxis eröffnet sich eine spannende Welt für Team- und Gruppenprozesse als
auch für persönliche innere Bewegungen: die Welt on-line.

Slacken macht irre Spaß! Und Slacken ist faszinierend: nicht die Line zu
bezwingen, nicht gegen ihre Elastizität anzukämpfen, sondern mit ihr zu
schwingen, sich von ihr tragen zu lassen, ihr das ganze eigene Gewicht
anzuvertrauen, eine innere Balance zu finden, die es ermöglicht, mit der
Schwerkraft zu spielen – darum und um weit mehr geht es beim Laufen auf
der Slackline[73].

Es gibt keinen Muskel, der beim Slacken nicht gefordert ist. Slacken schult
die Sensomotorik, die Balance, Konzentrationsfähigkeit und Koordination.
Viele Sportler und Sportlerinnen haben das Slackline-Laufen längst schätzen
gelernt als Ausgleich oder Ergänzung, gerade zum Klettern, Skaten, Skisport.
Aber auch in Kinder- und Jugendeinrichtung halten die Lines mehr und
mehr Einzug – abseits aller positiven Nebeneffekte ist Slacken eine echte
Herausforderung, die junge Menschen gerne annehmen. Nach der ersten
gemeisterten Line, die irgendwer zwischen zwei Bäumen gespannt hat, eröffnet sich eine Welt voller Möglichkeiten: immer längere Distanzen (Longlines),
Sprünge und Tricks (Jumplines), Lines übers Wasser (Waterlines) oder mit
extra Sicherung in schwindelerregenden Höhen (Highlines) – im Slacklinen
kann man wahre Meisterschaft erlangen, seinen Körper trainieren, sich
gegenseitig unterstützen und wichtiges Know-how in Sicherungstechnik
erwerben. Mit wachsender Schwierigkeit wächst auch die Verantwortung für
das Material, für das Einschätzenkönnen des Risikos, für das eigene Leben.

---

73   Slackline (deutsch: Schlappseil/lockeres Band)

Doch die Slackline birgt in sich weit mehr. Mit Slacklines lässt sich wunderbar pädagogisch und beinahe unerschöpflich metaphorisch arbeiten. Verschieden aufgebaute Parcours bieten intensive und eindrückliche Möglichkeiten, sich mit Teamfähigkeit, Gruppenstrategien oder Kommunikationsfähigkeit zu beschäftigen und miteinander zu lernen – natürlich immer draußen in der Natur.

Auch innere Prozesse können durch die Arbeit mit der Slackline begleitet und unterstützt werden. Themen wie

• das Suchen und Finden neuer Balance

• innerer und äußerer Halt

• das Bedürfnis nach Hilfe und Unterstützung und der persönliche Umgang damit

• wer/was gibt mir Ruhe, wer/was verunsichert mich

• wofür gehe ich? Was ist mein Ziel?

• neue Perspektiven etc.

werden auf der Slackline ganz neu und spürbar bewegt.

Und an Tagen, die eckig und kantig daherkommen, an denen die innere Mitte verloren scheint und ein emotionales Durcheinander die Oberhand gewinnt, kann eine Stunde auf der Slackline in der Umgebung großer Bäume mit dem richtigen Song vom mp3-Player manchmal Wunder wirken .

Über die Autorin

Karina Falke
Walden e.V., Chemnitz
Visionssucheleiterin (Tradition der School of lost borders)
Hochseilgartentrainerin (ERCA)
Zirkuspädagogin
Psychotherapeutin (HPG) i.A.
Sozialpädagogin i.A.

In Balance entspannt über Land und Wasser schweben

Damian Jörren

L andcruising wächst aus einer Leidenschaft heraus. 25mm breit ist die Freiheit, die Herausforderung, die Erfüllung und das nächste Level.
Landcruising steht für eine Metapher: entspannt über das Land schweben im Einklang mit der Natur und sich selbst. Die Faszination für dieses Gefühl bewegte uns dazu, im Herbst 2007 das Projekt ins Leben zu rufen. Ziel war es, unsere Passion, den Slacklinesport, anderen Menschen näher zu bringen und sie dafür zu begeistern.

Slacklinen – Training für Körper und Geist

„Slack" ist Englisch und steht für locker, schlaff, ... „Line" kann man in diesem Fall mit Band übersetzen, zusammen also lockeres Band. Die typische Slackline ist 25 bis 50mm breit und wird in Kniehöhe meist zwischen zwei Bäumen gespannt. Aufgrund des dehnbaren Materials reagiert die Line, anders als bei Schlappseil oder Hochseilinstallationen, sehr dynamisch auf die Bewegungen des Slackliners. Diese Dynamik macht das Slacklinen so faszinierend und herausfordernd, denn sie fordert die Körperwahrnehmung, aktive Ausgleichsbewegungen und die volle Konzentration. Hat man erst einmal ein Gefühl für die Line entwickelt, weicht der schnelle Pulsschlag einer tiefen Entspannung. Die Faszination des Slacklinens wird durch die Bewegung in freier Natur, das aktive Erholen, die Freude an der eigenen motorischen Lernfähigkeit und die Begeisterung an spürbarem Erfolg durch Disziplin, Mut und Verantwortungsbewusstsein genährt.

Das Slacklinen kann man allein oder in der Gruppe erlernen und ausüben. Die Einstiegshürde, mit Unterstützung ein paar Schritte zu wagen, liegt relativ niedrig. Hilfestellung bieten extra gespannte Seile über Kopf, Skistöcke oder die Hand eines Freundes. Unter Anleitung macht man schnell Fortschritte und bei durchschnittlicher Fitness kann man innerhalb der ersten zwei bis drei Sessions (à 1–2h) selbstständig auf der Line stehen. Schnell probiert man die ersten Schritte und Tricks – die Motivation und der Aufforderungscharakter sind riesig. Gleichzeitig erfährt man automisch ein intensives körperliches Training und eine geistige Entspannung. Der Aufbau einer Slackline reicht von einfachen Ratschensets bis hin zu komplexen Rollenflaschenzugsyst emen für den fortgeschrittenen Slackliner. Slacklinen hat als Nischensport neben dem Klettern begonnen, wurde später als Trendsport gehypt und hat mittlerweile Einzug in den Breitensport erhalten. Egal ob in Physiotherapie, Erlebnispädagogik, als Ausgleichstraining für Klettern, Tanzen und Skifahren oder als eigenständiger Sport, Slacklinen vereint viele interessante Aspekte in einem Sport.

„In Balance entspannt über Land und Wasser schweben, im

Einklang mit der Natur und sich selbst. "

Über die Jahre entstand eine feste Gemeinschaft um Landcruising und die gemeinsame Zeit auf der Slackline brachte jede Menge Spaß sowie sportliche Erfolge. Wir stellten uns dabei immer wieder zunächst unerreichbar scheinenden Herausforderungen. Um diese zu meistern, bedurfte es neuer Herangehensweisen. Trainingsmethoden für Körper und Geist wurden entwickelt. Neue Aufbau- und Spanntechniken erblickten das Licht der Welt. Das Material stieß an seine Grenzen und genügte nicht mehr unseren hohen Ansprüchen. Ideen und Wünsche gab es viele, doch die Möglichkeiten waren zunächst beschränkt. Der Zeitpunkt war gekommen, die Dinge selbst in die Hand zu nehmen. Unser gemeinsam erspartes Geld floss in eine Industrienähmaschine und Material zur Fertigung. Unser erstes Produkt wurde im September 2008 geboren: der Baumschützer TreePlus. Er steht stellvertretend für unsere Philosophie, den Slacklinesport auf umweltverträgliche und langfristig stabile Weise zu etablieren. Dazu braucht es jede Menge Aufklärungsarbeit und Ausdauer sowie innovative, hochqualitative und sichere Produkte.

Das Know-how aus unseren sportlichen Grenzgängen und die jahrelange Erfahrung fließen eins zu eins in unsere Produktentwicklung. Aus einem Bedarf entsteht eine Idee, auf die Entwicklung folgen unzählige Tests und es wird optimiert bis zum ausgereiften Produkt. Mit Liebe zum Detail entstehen einzigartige Produktdesigns fernab des Massenmarktes. Unsere eigenen Produkte lassen wir von kompetenten und renommierten Partnern aus der Region und der EU fertigen. Die hohen Anforderungen unserer Kunden nehmen wir zum Anlass, durchdachte, funktionelle und langlebige Produkte anzubieten, welche die individuellen Bedürfnisse zu 100% erfüllen und das zum fairen Preis.

Das neueste Projekt von Landcruising nennt sich SlackLab. SlackLab ist eine Wissensplattform zum Thema Slackline im Internet. Mit Hilfe wissenschaftlicher Methodik, einem interdisziplinären Autorenkollektiv und dem Slackline-Equipment der neuesten Generation forscht unser Team zu aktuellen Themen und Fragestellungen des Slacklinesports.

Unsere langjährige Erfahrung im Bereich Spanntechniken, Materialforschung und Produktentwicklung ermöglicht es uns, mit fundiertem Fachwissen diese Fragestellungen zu analysieren und zu beantworten. Neueste Erkenntnisse aus Labor- und Feldversuchen sowie unsere praktische Erfahrung aus den Grenzbereichen des Longline- und Highlinesports bilden die Basis von SlackLab. Wir testen, vergleichen und zerreißen Ausrüstung, um Schwachstellen zu identifizieren und daraufhin Slacklinesysteme zu perfektionieren.

In gewissenhaft ausgearbeiteten und recherchierten Artikeln widmen wir uns in SlackLab der Materialkunde, dem optimierten Aufbau und den Belastungen von Slacklinesystemen. Wir geben Empfehlungen zum Thema Umweltschutz und ethischen Fragen und erklären im Kapitel „Training" die grundlegenden physischen und mentalen Techniken einer erfolgreichen, sicheren und motivationsgeleiteten Ausübung des Slacklinens. In SlackLab möchten wir aber auch das Risikoverständnis des Sports hinterfragen und für die verborgenen Gefahren sensibilisieren. Unsere Erfahrungen aus der Arbeit im Rahmen von Weiterbildungen und Workshops ermöglichen es uns, dieses Wissen in verständlich aufgearbeiteter Weise zu präsentieren.

Neben innovativen Produkten und Know-how steht Landcruising für eine alternative Plattform der Slackline-Gemeinschaft mit erstklassigen Fotos, Videos und Designs sowie professionellem Eventsupport und kompetenten Weiterbildungen für Anfänger wie auch Profis.

Unsere Prinzipien orientieren sich an der unternehmerischen Gesellschaftsverantwortung für nachhaltiges Handeln in sozialen, ökologischen und ökonomischen Belangen. Diese Prinzipien versuchen wir mit dem Wachstum des Unternehmens in Einklang zu bringen. Wir sehen uns in einem Generationenvertrag bezüglich unserer Umwelt und der Gesellschaft, in der wir leben.

Die intakte Natur ist uns ein wichtiges Gut und ihre Bewahrung ist unser Ziel.

Über den Autor

Damian Jörren
Landcruising Slacklines, Dresden
Diplom Geograph
Gründer des Slackline-Projektes Landcruising
Akti im Projekt SlackLab mit dem Schwerpunkt auf die Bereiche Sicherheits- und Materialforschung, Produktentwicklung, Ausbildung und Didaktik, Umweltschutz und Risikomanagement.

Klimahelfer – Änder' was, bevor's das Klima tut – Kampagne des Deutschen Jugendrotkreuzes

Mandy Merker

Die Fakten
Wissensvermittlung und Informationsgabe

Klimaschutz und Klimawandel werden bereits seit Jahren in verschiedenen Vereinen, Initiativen und natürlich in den Medien thematisiert mit dem Ziel, die Menschen aufzuklären, zu sensibilisieren und der globalen Erwärmung entgegenzuwirken. Verschiedene Forschungen ergeben jedoch bereits jetzt, dass der Klimawandel nicht mehr völlig zu stoppen, sondern nur noch zu begrenzen und abzumildern sei. Politische Gremien versuchen durch Abkommen und Regelungen, den Ausstoß des Treibhausgases zu verringern, fördern den Erhalt von Naturbestandteilen, die das CO2 senken (Ozeane, Waldgebiete) und das Absenken des hohen Energiekonsums der Industriestaaten. So haben auch zahlreiche Nationen sich verpflichtend im Kyoto-Protokoll erklärt, das Treibhausgas bis Ende 2012 um 5,2% zu senken. Diese Verpflichtung wurde 2012 verlängert und das neue Ziel ist nun 2020 ... (vgl. Wikipedia)

Wie soll nun ein Jugendverband sich mit dieser Thematik nachhaltig auseinandersetzen können? Was können ca. 100.000 junge Menschen im Alter von 6–27 Jahren in Deutschland und davon ca. 4.000 Jugendliche in Sachsen nachhaltig verändern und bewirken?

„Es gibt bereits etliche Initiativen, die zum Engagement für den Klimaschutz aufrufen. Aber wir brauchen auch Lösungen zur Klimaanpassung und müssen uns fragen, wie der Klimawandel unseren Alltag betrifft. Das Jugendrotkreuz will mit der Kampagne zu mehr Engagement aufrufen und zeigen, wie sich die Klimaveränderungen bei uns und in anderen Ländern auf die Menschen auswirken. Der Fokus liegt auf Klimaanpassung: Wer ist besonders betroffen? Wie können wir uns anpassen und vor extremen Wetterlagen schützen?

Wie können wir Menschen helfen, die viel schlimmer betroffen sind? Das sind nur ein paar Fragen, auf die die Kampagne antworten möchte." (vgl. Klimajournal des JRK)

Die Kampagne hat fünf Schwerpunkte (Gesundheit, Bevölkerungsschutz, Bildung, klimabedingte Migration und Klimaschutz) und läuft zunächst von Mai 2012 bis September 2014. Eine Verlängerung der Kampagne ist angestrebt. Zu jedem der Schwerpunkte hat das Jugendrotkreuz Forderungen erarbeitet.

Bevölkerungsschutz = wir fordern von der Kommunal-, Landes- und Bundespolitik Programme zur Vorbereitung von Kindern und Jugendlichen auf extreme Wetter-ereignisse. Die Programme müssen vor allem in Kindergärten und Schulen umgesetzt werden. (vgl. Klimajournal des JRK)

Gesundheit = wir fordern von der Kommunalpolitik und den Schulträgern mehr Schattenplätze durch Bäume und mehr öffentliche Trinkbrunnen zum Schutz unserer Gesundheit. (vgl. Klimajournal des JRK)

Bildung = wir fordern Bildungsprogramme, die Kinder und Jugendlichen zeigen, wie sie auf den Klimawandel reagieren können. Damit sie auch über ihre Zukunft mitbestimmen können. (vgl. Klimajournal des JRK)

Klimabedingte Migration = wir fordern von der Bundesregierung und der internationalen Politik Gesetze zum Schutz und zur Aufnahme von Klimaflüchtlingen. (Hierzu finden 2014 lokale Unterschriftenaktionen statt, die als Petition in den Bundestag eingereicht werden. Zudem findet am Weltflüchtlingstag (20.06.) eine Konferenz zur klimabedingten Migration statt.) (vgl. Klimajournal des JRK)

Klimaschutz = wir fordern die Umsetzung von Klimaschutzrichtlinien und die aktive Beteiligung am Klimaschutz. Das Jugendrotkreuz hat zahlreiche Methoden und Tipps entwickelt, wie der Verband in Sachen Klimaschutz und Konsum fit gemacht werden kann. Wir möchten alle Jugendrotkreuzler und Entscheidungsträger zum Mitmachen einladen und gemeinsam den Verband voranbringen. (vgl. Klimajournal des JRK)

2012 wurde zunächst der Verband in Sachen Klimawandel fit gemacht. Das Ziel, sich beispielsweise in Gruppenstunden oder Wettbewerben mit dem Thema auseinanderzusetzen, konnte zum großen Teil erfüllt werden. Neben den Kernthemen ging es vor allem um den Klimaschutz. Es gibt vielfältige Materialien, die man vom Landesverband erhalten und kostenlos auf der Website herunterladen kann. 2013 und 2014 starten zahlreiche Projekte. Für jedes Kampagnen-Thema und alle Forderungen gibt es bundesweite und lokale Aktionen, für deren Vorbereitung besondere Kampagnen-Leitfäden bereitstehen. Ziel ist es, mit Aktionen die Forderungen des Jugendrotkreuzes in der Öffentlichkeit bekannt zu machen und Kinder und Jugendliche zu befähigen, selbst kleinere Projekte durchzuführen.

Die Deutsche UNESCO-Kommission hat die Klimahelfer-Kampagne des Deutschen Jugendrotkreuzes als Projekt der UN-Dekade „Bildung für nachhaltige Entwicklung" ausgezeichnet. „Die Klimahelfer-Kampagne des Jugendrotkreuzes zeigt eindrucksvoll, wie zukunftsfähig Bildung aussehen kann. Das Votum der Jury würdigt das Projekt, weil es verständlich vermittelt, wie Menschen nachhaltig handeln", so Professor Dr. Gerhard de Haan, Vorsitzender des Nationalkomitees und der Jury der UN-Dekade in Deutschland.

Innen wachsen – außen handeln

(Die Herausforderung, mehr als nur Wissen zu vermitteln)

An dieser Stelle möchte ich gern an das Vorwort des Fachtagungsflyers anknüpfen, in dem von Kurt Hahn und seinem Ansatz gesprochen wird, den Kindern und Jugendlichen die Gelegenheit zur Selbsthingabe und Verantwortungsübernahme an die gemeinsame Sache, zu geben. Die Kampagne „Klimahelfer – Änder' was, bevor's das Klima tut" bietet vielfältige Möglichkeiten zur Verantwortungsübernahme. Interessierte können sich zu KlimabotschafterInnen ausbilden lassen, Gruppenstunden mit der eigenen Jugendgruppe zum Thema durchführen, Baumpflanzungen, Spendenprojekte, Workshops und Aktionstage ins Leben rufen.

Die Herausforderung besteht hierbei über die kognitive Wissensvermittlung hinaus darin, ins Erleben und zum inneren Wachstum zu kommen, um aus eigener Motivation für die Sache an sich zu handeln. Nun habe ich die Erfahrung gemacht, dass innere Wachstumsprozesse, die begleitet werden, oftmals von längerer Dauer sind. Die GruppenleiterInnen der Jugendgruppen sind meist Ehrenamtliche, die die jungen Menschen erfahrungsgemäß über Jahre hinweg im Jugendrotkreuz begleiten. Im seltenen Fall sind sie Sozial-

und ErlebnispädagogInnen. Aus dieser Tatsache heraus haben wir zunächst beschlossen, verschiedene Informations- und Weiterbildungstage für die JugendgruppenleiterInnen anzubieten, in denen wir kleinere Spiele und Kooperationsaufgaben vermittelt haben. Wir bemerkten, dass alle sich für den Klimaschutz aussprachen und sie das Kampagnenthema als sehr wichtig empfanden, jedoch hörte die Bereitschaft dann auf, als es um das eigene Handeln ging. Verzichte ich z.B. auf die 2 Cent vertragliche Einsparung pro Liter Benzin für Rettungsfahrzeuge bei der Shelltankstelle nebenan, weil ich weiß, dass diese in der Arktis nach Öl bohren will? Oder bei kleineren Dingen: Achte ich darauf, dass Smart- und I-Phones bei ausgiebiger Nutzung täglich geladen werden müssen; oder achte ich auf den Verzehr von einheimischen Obst- und Gemüsesorten im Winter?

Wie schaffen wir es, ein tieferes Bewusstsein, Haltung für die Zusammenhänge, für das eigene Handeln und die damit verbundenen Wirkungen auf das große Ganze zu erreichen? – Wir haben mehrere kleinere Aktionen gemeinschaftlich mit JugendgruppenleiterInnen und jungen Menschen durchgeführt. Einzelne sind hier exemplarisch benannt:

- Gestalten von „Seed-Bombs" (Samenkugel) und diese an bebauten, nicht naturnahen Flächen auslegen (so kann plötzlich inmitten einer Betonfläche im Frühjahr ein Blumenmeer entstehen)

- Baumsetzlinge in Obhut verschiedener Jugendgruppen geben, die den Auftrag haben, einen guten Platz für den Baum zu finden

- Teilnahme an der bundesweiten Aktion „create a place", bei der an gewöhnlichen, besonderen und/oder unwirklichen Plätzen Bäume gepflanzt wurden. Einen Überblick über alle Baumpflanzaktionen findet man unter www.mein-jrk.de/themen/ klimahelfer

- Planspiel „Klimaschutz – alles nur ein Spiel" ist ein Rollenspiel, bei dem Jugendliche in die Rolle verschiedener Interessengruppen hineinschlüpfen und versuchen, deren Klimaschutz-Ambitionen nachzuvollziehen. Ziel ist es, verschiedene weltpolitische Meinungen und Situationen zu ergründen und ein Gespür für eine gerechte Klimapolitik zu entwickeln. Dabei werden in spannenden Diskussionen die verschiedenen Interessen der Staaten bzw. Organisationen das ein oder andere Mal aufeinanderprallen.

Im Laufe der Kampagne beleuchteten die verantwortlichen Jugendlichen auch zunehmend das eigene Verhalten (reise ich mit Auto oder Zug an) und hinterfragten JRK-Veranstaltungen hinsichtlich ihrer Klimafreundlichkeit (Recyclingpapier, regionale Verpflegung etc.). Ein Wendepunkt in der Jugendrotkreuzarbeit geschah dann unerwartet in einer Landesversammlung. Gemeinsam mit den VertreterInnen der jeweiligen Jugendgruppen erarbeiteten wir die Ziele und Visionen für das Jugendrotkreuz in Sachsen. Neben vielen wichtigen Gedanken, wie z.B. Offenheit und gegenseitige

Wertschätzung, empfanden es alle als wichtig, den ganzheitlichen Blick und somit auch auf die Natur zu wahren. Damit steht in den Visionen für 2020, nicht nur öffentlichkeitswirksame Arbeit des Jugendrotkreuzes soll sich verbessern, sondern auch das JRK Sachsen setzt sich für Umwelt/Natur und Menschen ein und respektiert die Natur.

So ist vielleicht neben einzelnen jungen Menschen auch der Jugendverband an sich „innen gewachsen" und bereit für die nächsten Schritte und Aktionen, die wir hoffentlich gemeinsam mit den TeilnehmerInnen des Forums ein Stück weit erörtern werden. Wir streben an, kleinere Formate wie z.B. 12h oder 24h Solos und einzelne Aufenthalte in der Natur (3–5 Tage) zu einem bestimmten Thema für junge Menschen anzubieten, u.a. ein „Wassercamp".

Im Zuge der Vorbereitung auf die Fachtagung und damit verbundene Gespräche und Gedankenaustausche haben wir auch eine etwas skurrile Fragestellung zum Thema „innen wachsen – außen handeln": Inwieweit trug das Hochwasserereignis im Juni 2013 zu einem handlungsorientierten Lernen bei Jugendrotkreuzlern bei oder war dies einfach nur eine traumatisierende Naturkatastrophe und befand sich außerhalb des Grenzbereichs, nämlich im Panikbereich (nimmt man an dieser Stelle das Komfortzonenmodell als Grundlage).

Vorgedanken dazu sind:

- Sind einzelne Situationen im Hochwasser ein Geschehen im Sinne eines Erlebnisses, d.h. es hebt sich vom Alltag ab, ein Geschehen wird emotional-affektiv verarbeitet?

- Im Roten Kreuz werden neben der Ersten Hilfe auch Bevölkerungsschutz, Hilfestellungen bei Katastrophenfällen sowie insbesondere das Helfen von anderen Menschen vermittelt – nun zielt ja Pädagogik darauf ab, die Inhalte, die sie vermittelt, auf eine Erlebnisbasis zu stellen; also inwiefern sind einzelne Situationen des Hochwassers die Erlebnisbasis für das, was im Roten Kreuz vermittelt wird?

• Inwieweit sind junge Menschen innerlich durch das Erlebte gewachsen bzw. konnten aufgrund eines vorhergehenden Wachstumsprozesses nach außen handeln und mithelfen?

Es sollen dazu noch einzelne Interviews mit Jugendlichen aus dem Jugendrotkreuz folgen. Zum Zeitpunkt der Erstellung dieses Artikels konnten aus zeitlichen Gründen noch keine durchgeführt werden und ich hoffe, dass wir zur Fachtagung mehr Erkenntnisse haben.

Phänomenologische Betrachtung zur Klimaanpassung Hochwasser

„Ich beeinflusse den Fluss ..." – *„Nee, der Fluss beeinflusst dich"*
(Streitgespräch zweier Jugendlicher auf einer 7-tägigen Flusswanderung)

Wenn ich hier von Phänomenologie spreche, orientiere ich mich an der Definition von Kreszmeier, in der sie schreibt, dass Phänomene eine „offene Hinwendung zu dem, was ist, ein unfokussiertes Schauen, ein In-sich-Aufnehmen und Wirkenlassen, ein Sichaussetzen und Sammeln" sind, und „... erst durch den Akt einer beziehungsstiftenden Wahrnehmung" zu einem Phänomen werden. (vgl. Kreszmeier, Systemische Naturtherapie, S. 45 ff.)

In Gesprächen mit Betroffenen des letzten Junihochwassers diskutierten wir konkret, wie eine Klimaanpassung nun aussehen könnte. Weitere Deichbau-Projekte? Das Zurückbauen der Städte und dadurch die Wiederschaffung

der Flussauen? Intensives Vorbereiten der Bevölkerung für den nächsten Katastrophenfall? oder das Hinnehmen und Leben mit dem Fluss? Während die ersten drei Maßnahmen das aktive Handeln in den Vordergrund stellen, ist das Leben mit dem Fluss wohl die größte Herausforderung. Selbst betroffen vom Hochwasser, dem damit verbundenen Verlust des Zuhauses und des Verarbeitens wurde ich mit der Fremdwahrnehmung konfrontiert, dass es ein Privileg sei, an einem Fluss zu wohnen, und es eine innere Zustimmung brauche, mit dem Fluss zu leben ... Eine innere Zustimmung, die leicht zu geben ist, wenn der Fluss ruhig und gemächlich dahinzieht. Doch Einengungen und Nichtbeachtung können bei „zu viel" Wasser, das aus übermäßigem Regen gespeist wird, Überschwemmungen und Zerstörung verursachen. Der Fluss kann gar nicht anders, er fließt so, wie er durch den Untergrund, die Steine und das Ufer geführt wird, und zeigt sich an den Stellen in seiner vollen Kraft, wo er eingegrenzt wird.

Wenn wir von Klimaanpassung sprechen, werden wir zukünftig nicht nur am Fluss, sondern auch in anderen Landschaften und Regionen eine innere Zustimmung brauchen, um mit der Natur zu leben, die wir beeinflusst haben und die uns wiederum beeinflusst.

Der Forschungsauftrag lautet also, zu schauen, ob und wie eine innerliche Zustimmung (innerliches Wachsen) mit dem Leben und dem Platz z.B. am Wasser stattfinden kann.

Über die Autor_innen

Mandy Merker
Netzwerk Erllebnispädagogische Prozessbegleitung Sachsen, Pirna
Diplom Sozialpädagogin
Erlebnispädagogische Prozessbegleiterin (AGJF Sachsen e.V.)
Systemische Naturtherapeutin (Nature&Healing)
Jugendrotkreuz - Bundesleiterin

Naturerleben und Genderperformance –
Gender in der Erlebispädagogik

Susann Riske/ Kai Dietrich

(In) Frage(n) stellen

D er folgende Text versucht erlebnispädagogische Theorie und Praxis auf
ihre genderbezogenen Themen hin zu untersuchen. Wir gehen den Fragen
nach, welchen Einfluss (unausgesprochene) Themen der Vergeschlechtlichung
bzw. der Geschlechtssozialisation von Individuen – hier Teilnehmenden oder
Leiter_innen in den verschiedenen Settings haben. Gleichzeitig sollen der
Raum Natur sowie damit verbundene Natürlichkeitstheoreme in den Blick
genommen werden, um zu prüfen, welchen Einfluss diese auf Annahmen
über Geschlecht als gesellschaftlicher Kategorie haben bzw. befördern können.

Da der Text im Rahmen verschiedener Diskussion im Kreis von Praktiker_
innen entstand, ist er gleichsam nicht in der Lage und verfolgt daher auch
nicht das Ziel, erlebnispädagogische Theorie in ihrer Gesamtheit kritisch zu
umreißen (hierfür siehe vgl. u.a. Schott 2003). Ziel des Textes ist es vielmehr
eine genderreflektierende Perspektive für die Erlebnispädagogik fruchtbar
zu machen. Wenn allgemeine Bildung, jene „allgemeine unspezialisierte
Potenz des Humanen" (Humboldt 1993, S.218) ein subjektgeleitetes Erleben
voraussetzt (vgl. Schott, 2003, S. 260 f.) so scheint Erlebnispädagogik genau hier
eine Ressource für genderreflektierende Bildungsprozesse anzubieten. Die im
Alltag mehrheitlich unbewusst vorgetragene geschlechtliche Inszenierung
kann über erlebnispädagogische Prozesse womöglich als individuelle, in den
Körper eingeschriebene Genderperformance (vgl. Butler 1990) in den Blick
genommen und als Grundlage für weitergehende Bildungsprozesse besprechbar gemacht werden.

Gleichzeitig soll der Text die Gefahr aufzeigen, welche nicht-gender-reflektierende, erlebnispädagogische Prozesse mit sich bringen, indem sie Teilnehmende diesen reflektierten Blick verstellen und sie in ein Gefüge entindividualisierte, gesellschaftlicher Anforderung und damit geschlechtlicher Zurichtung zurückverweisen. Ziel emanzipatorischer Erlebnispädagogik sollte unserer Auffassung nach das Gegenteil sein.

Geordnete Verhältnisse

B edienen wir uns zu Beginn eines Bildes von Natur: *Der röhrende Hirsch im Abendrot mag auf den ersten Blick weniger mit moderner Pädagogik denn mit biederer Wohnzimmerromantik zu tun haben. Gleichzeitig hängt das Motiv nicht nur in den „guten Stuben", in denen traditionelle Rollenbilder noch gelingend zusammengeführt werden. Es hängt, wenngleich nicht so klar, auch in den Köpfen eines Großteils der Menschen unserer Gesellschaft. Es wäre vermessen, hier anzunehmen, Pädagog_innen aller Fachbereiche, so auch die der Jugendarbeit und/ oder Erlebnispädagogik, bildeten hier eine rühmliche Ausnahme. Das Bild visualisiert etwas, was wir in irgendeiner Form alle bereits kennengelernt haben – männliche Kraft und zentrale Wirkmacht bzw. Hegemonie als scheinbare Krönung evolutionärer oder idealistisch gedachter Natur.*

Der röhrende Hirsch ist bereit sich mit dem Gegner zu Messen, er ist bereit sich zu Paaren, er wartet nicht, sondern fordert heraus, er versteckt sich nicht, wird aktiv, im Gegensatz zur passiven Kuh und dem ihm unterlegenen Gegner. Sein Ruf ist bis über die gedachten Grenzen zur Zivilisation hin wahrnehmbar. Männlichkeit und Herrschaft im Abendrot zeigen, das ist Natur, das ist richtig, beruhigend und schon immer so gewesen.

Dem Hirsch etwas entgegen setzen, ihn übertreffen, kann letztlich nur der Mensch. Ihn zu jagen, sich mit ihm zu schmücken und über ihn und damit über die gewaltige Natur zu triumphieren, das gelingt wiederum in Bildern nur einem anderen männlichen Wesen, dem Weid-Mann, der hier seinen „Jagdinstinkt" auslebt.

Die Vorstellung von Männlichkeit verbindet damit gleichzeitig natürliche Leistungsbereitschaft, Kampfkraft und -willen, mit der Möglichkeit mit diesen Fähigkeiten aus der Natur herauszutreten, sie zu unterwerfen und kulturschaffend zu beherrschen. Gleichzeitig verweist dies auch auf alle vermeintlich nicht Kulturschaffenden. In heterosexuellen überformten Gesellschaften sind damit allen voran Frauen – als scheinbar naturnähere, emotionsgeleitete Wesen – gemeint. Gleichzeitig geht der Verweis auch an alle Männer bzw. Personen, welche über diese binäre Vorstellung hinausgehende Identitäten und Lebensweisen aufzeigen, sich der jeweils hegemonialen Vorstellung von Männlichkeit zu unterwerfen.

Erlebnis und Unterwerfung in der Pädagogik

Dem hingegen ist die Pädagogik des Erlebnisses ursprünglich angetreten, wider autoritärer Erziehungsstile und vorgegebener Lerninhalte, Unterwerfung in den Fokus zu rücken. Unterwerfung einerseits der Prozessteilnehmenden und Gruppen, die häufig durch gesellschaftliche Ausgrenzungs- und Entfremdungsprozesse in eine inhumane Situation gedrängt waren. Gleichzeitig sollte die zerstörerische, globale Unterwerfung von Naturräumen in menschlicher Kultivierungsabsicht unter ihren bestehenden Produktionsbedingungen in den Blick genommen werden. Der Zusammenhang zwischen beiden Prozessen wurde und wird von Fachkräften in unterschiedlicher Art und Weise wahrgenommen und in den pädagogischen Settings zum Thema gemacht.

Festzuhalten ist aus heutiger Perspektive, dass weder Jean Jacques Rousseau noch Kurt Hahn als Ideengeber der Erlebnispädagogik davor gefeit waren, trotz ihrer anscheinend liberal- aufklärerischen Ansprüche Unterwerfung selbst zu reproduzieren. So war der Natürlichkeitsidealismus Rousseaus (vgl. Rousseau 2004, S. 938 f.) eine weithin auf Autoritäten und scheinbar natürliche Hierarchien (vgl. Rousseau 2004, S. 125) ausgerichtete Lehre. Rousseau war keineswegs liberal im Sinne der Aufhebung sozialer Ungleichheiten in der Gesellschaft sondern orientierte immer wieder auf den „Schöpfer" und Eliten, welche zum gesellschaftlichen Gelingen und demnach einer möglichst weitgehenden Erhaltung des von ihm beschriebenen Naturzustandes beitragen sollten. Auch wenn der Erzieher des Emile scheinbar nur Rahmung für den Weg des Edukanten hin zu einer naturgegebenen Entwicklung bildet und damit antiautoritär zu fungieren scheint, ist der Wunsch nach Austritt aus der modernen Gesellschaft (vgl. Rousseau 2004, S. 216 f., S. 222) kaum mit aufklärerischen Idealen vereinbar, bildet dieses doch bei aller Kritik erst die Grundlage für die Schaffung des (emanzipierten) Individuums und muss damit Ziel aufklärerischer Pädagogik sein, nicht der Widerspruch eines idealisierten Naturzustandes.

Auch Kurt Hahn entgeht in seiner Absicht, Bildung und Erziehung näher zusammenzubringen und damit einem verinstitutionlisierten Lehrbetrieb etwas entgegen zu setzen, der Gefahr gegenaufklärerischer Tendenzen nicht. Es zeigt sich hier deutlich, dass Orientierung an Natur, optimierende Leibeserziehung und Ziele wie Leidenschaft bis zur „Selbsthingabe" an das Gemeinsame sich gesellschaftlichen Diskursen gegenüber nicht neutral verhalten, so sie dies überhaupt sollen, sondern sich gut in naturalisierende Theoreme oder völkische Ideologie einfügen lassen (vgl. Fischer/ Ziegenspeck 2008, S. 227ff.).

Im Sinne der Kritischen Theorie ist dabei immer vor der Tendenz der Aufklärung zu warnen, individuierende Produktionsbedingungen hervorzubringen und damit Gesellschaften, die sich gegen das Individuum und damit gegen die Aufklärung selbst wenden. „Die Herrschaft tritt dem Einzelnen al das Allgemeine gegenüber, als die Vernuft in der Wirklichkeit. (...) Was allen durch die Wenigen geschieht, vollzieht sich stets durch Überwältigung einzelner durch viele. (...) Die Aufklärung hat schließlich nicht bloß die Symbole sondern auch ihre Nachfolger, die Allgemeinbegriffe aufgezehrt und von der Metaphysik nichts übriggelassen als die abstrakte Angst vor dem Kollektiv aus der sie entsprang (Horkheimer/ Adorno 1947, S. 34 f.)" Reproduziert aktuelle Erlebnispädagogik in ihren Methoden, Inhalten oder durch die Habitus der Prozessleitung bewusst oder nicht naturscheinende, biologisierende Kategorien und Natürlichkeitsdiskurse, bietet sie hiervor keinen ausreichenden Schutz. Unterwerfungsmechanismen von einem emanzipierten Standpunkt aus zu diskutieren, scheint damit kaum wahrscheinlich.

Gender im Unterwerfungsdiskurs

E ine Strategie der Unterwerfung ist bis heute noch zu selten als solche im Fokus pädagogischer Fachlichkeit und auch hier ist die Wahrnehmung bzgl. der realen Existenz und Tiefe der Unterwerfung höchst unterschiedlich. Gender in Planungen von Prozessen als Querschnittsthema immer mitzudenken scheint so geboten wie vielen Praktiker_innen müßig.

Beispiel aus Erfahrungsberichten von Praktiker_innen mögen dies verdeutlichen.

1. Wenn in erlebnispädagogischer Absicht von Auftraggebenenden als delinquent markierte Jungengruppen durch den Wald oder über den Berg begleitet werden, muss dies nicht bedeuten, dass durch die Leitenden im Prozess eben mehr als Jugendliche wahrgenommen werden.

2. Wenn eine Gruppe Mädchen mit Essstörungen in einem Prozess begleitet wird, heißt dies nicht, dass pädagogische Fachkräfte hier mehr diagnostizieren, als Jugendliche mit ungesundem Essverhalten.

3. Auch muss es Fachkräften nicht immer bewusst sein, dass sie selbst von Prozesseteilnehmer_innen nicht ausschließlich als eine mehr oder weniger gelingende Gruppenleitung sondern auch als Männer und Frauen, „normal" oder verstörend wirkende, wahrgenommen werden.

In allen Situationen ist die Kategorie Geschlecht wirksam und den Anwesenden präsent, gerät aber für gelingende Erlebens- und Bildungsprozesse nicht immer in den Blick. Es ist das eingeübte, vorbewusste Kategorisieren entlang der Trennung in männlich und weiblich, die Unterwerfung aller Individuen unter die heteronormative Geschlechtermatrix (vgl. Butler 1997, S.23). Weder in unserem alltäglichen Handeln noch in unserer Wahrnehmung des realen Außen müssen wir uns Gender erst bewusst machen, um entsprechende Einteilungen in Mann und Frau, in Norm und Abweichung (vgl. Beauvoir 1963, S. 8 f.) vorzunehmen. Gender funktioniert wie ein „naturgegebener", a priorischer Filter unserer Wahrnehmung für uns und andere. Gender ist Teil unserer Selbstinszenierung, inkorporiertes Ideal unserer Personwerdung und damit gleichzeitig prägend für unsere ständige Interaktion mit der Umwelt.

Auftreten, Kommunikation, Raumwahrnehmung und -verhalten sind nur offensichtliche Teile einer Performance, die nicht weniger als unsere Körper selbst als genderspezifisches Material hervorbringt (vgl. Butler 1991; 1997).

Sich dem zu entziehen gleicht in den aktuellen Zuständen noch einem Streben nach Nichtexistenz. Dem Individuum wird im Rahmen diskursmächtiger Aussonderung die Möglichkeit zur Präsenz im Raum sowie in der Kommunikation mit ihm und über es genommen. Unsichtbar gemacht wird der Großteil derer, die nicht biologistische Stereotypen von Männern und Frauen verkörpern, die sich nicht in die, dem affirmierten „biologischen Kern" nachgedachten, gesellschaftlich nützlichen Habitus einleben oder die ihr Begehren nicht im Sinne bipolarer Vorgaben beschränken.

Dass diese Form der Unterwerfung in ihrer globalen Wirkung alle Individuen betrifft, soll nicht dahingehend verkürzen, dass über die noch ausführlicher zu betrachtende heterosexuelle Matrix gleichzeitig Herrschaft vermittelt wird. Die derzeitige Gesellschaft vermittelt hierüber einerseits die fortlaufende Wertschöpfung durch die Vernutzung von Arbeitskraft - orientiert an hegemonialen Männlichkeiten (vgl. Connell 2006) und patriarchalen Ordnungsvorstellungen - wie anderseits deren ständige Regeneration. Sie sichert damit also ihren Bestand. Pädagogik will seit der Aufklärung mehr. Sie fordert die Emanzipation der_des Einzelnen von Konstrukten und Unter werfungsmechanismen.

Gender(un)sensibilitäten

Will Erlebnispädgogik das Individuum in Reflexion gesellschaftlicher Zustände an seine eigenen Ressourcen führen, muss sie gewillt sein, genderspezifische Einflüsse auf Biographie und Interaktion der Teilnehmenden zu berücksichtigen.

Während für einen großen Teil von Jungen aufgrund sozialisatorischer Anforderungen der Lerneffekt geringer erscheint, einmal mehr die eigenen Leistungsgrenzen zu erfahren, mag dies für einen großen Teil von Mädchen in gruppenkooperativen oder rückmeldungsbasierten Settings aufgrund anderer, für sie zutreffenden Sozialisationsanforderungen ebenso sein.

Selbst dem adipösen Jungen mag es wenig helfen, seine männlich sozialisierte Körperferne zu verlernen, wenn er schwitzend den Berg hinauf marschiert - vor sich eine konsequent und prinzipientreu trainierte Leitung - in dem Wissen, dass er hierfür scheinbar auch nicht taugt. Die Gefahr einen nicht pädagogisch gerahmten Begriff von Natürlichkeiten zu festigen geht hier einher mit einer kaum gelingenden oder ästhetischen Erfahrung von Naturräumen.

Für ein Mädchen (wenn gleich nicht nur) kann es bei entsprechenden Vorerfahrungen bereits grenzüberschreitend sein, einen Prozess zu durchlaufen, der als Zielvorgabe formuliert, einmal allein im Dunkeln ausharren zu müssen. Dunkelheit ist hier oft mit Ängsten belegt, die wenig bis nichts mit „undefinierbarem Gewürm" zu tun haben, gleichfalls dies als erneute, schutzlos ausgelieferte Situation erleben lassen kann.

Eine fachliche Ableitung müsste hier sein, die Ziele der beschriebenen Settings partzipativ zu reflektieren und gleichzeitig zu prüfen, wo die Alltagskompatibilität für die Teilnehmenden auszumachen ist. Inwiefern sich Jugendliche gegen oben beschriebene Fälle gelingend zur Wehr setzen und ihre Sicht artikulieren können, ob Gender in der Analysetätigkeit der Pädagog_innen eine Rolle spielt und inwieweit Jugendliche eine am jeweiligen Rollensterotyp orientierte Genderperformance der Leiter_innen als unnahbare Autorität wahrnehmen und sich einer gemeinsamen Kommunikation entziehen oder verweigern, hängt davon ab, inwieweit Gender als Thema in einem solchen beispielhaften Prozess Platz eingeräumt bekommt.

Keineswegs soll hier eine erneute, vereinheitlichende Kategorisierung fortgeschrieben werden, welche Jugendliche entlang von Zuschreibungen in mehr oder weniger männlich sowie mehr oder weniger weiblich und damit der Jungen- oder Mädchengruppe zuordnet. Beide oben angeführten Beispiele könnten ebenso für alle Jugendlichen mit entsprechenden Sozialisationserleb nissen zutreffen. Darüber hinaus kann davon ausgegangen werden, dass ein großer Teil von Jugendlichen mehr oder weniger offen Lebensweisen pflegt, welche zwischen den beiden Polen von „männlich" und „weiblich" verortet werden können.

Zur Erläuterung mag hier als Referenzrahmen die von Judith Butler definierte heterosexuelle Matrix dienen. Demnach entfalten die beiden benannten Pole einen Dreiklang aus sex, gender und desire (vgl. Butler 1991, S. 8

ff.). Hiernach bezeichnet sex ein leiblich beschriebenes Geschlecht (sogenanntes „biologisches Geschlecht"), was heute noch weithin als natürlicher Ausgangspunkt für die anderen Bezugsgrößen angenommen wird. Ausgeblendet wird dabei zu oft, wie restriktiv und unter körperlichen Eingriffen einerseits darauf hingearbeitet wird, die beiden als natürlich anerkannten, biologischen Geschlechter sofort nach der Geburt festzulegen bzw. herzustellen. Ausgeblendet bleibt auch, wie wir Körper aufgrund unserer Annahmen als männlich oder weiblich analysieren, definieren und ausformen.

Gender bezeichnet die gesellschaftlich zugeschriebene, soziale Verortung und Interaktion, welche als „soziales Geschlecht" meist im Sinne von Rollenzuschreibungen beschrieben wird. In der Interaktion mit dem sex weist gender allerdings ein viel tiefergehendes Konzept von Männlichkeit und Weiblichkeit auf, welches unser gesamtes Handeln sowie unsere komplette Wahrnehmung von uns – als leibliche und soziale Person – und unserer Umwelt durchdringt.

Desire als dritter Faktor betreibt als sogenanntes „Begehren" die Ausrichtung der beiden Pole aufeinander. Desire beschreibt die in unseren Gesellschaften nachvollziehbaren Strukturen, welche

nicht allein Männer und Frauen an zwei voneinander getrennte Pole verweisen, sondern diese widerum heterosexuell aufeinander beziehen. Dies zeigt einerseits die Tendenz auf, nicht-heterosexuelle Lebensweisen außerhalb der Norm zu definieren und unsichtbar zu machen sowie damit einhergehend den Druck auf alle Individuen, Sexualität und Begehren im Sinne eines „natürlichen Fortpflanzungsauftrages" zu verstehen und auszurichten und damit gleichzeitig gesellschaftliche Wirkweisen, Rollenzuordnungen und Ausschließungspraxen immer wieder zu reproduzieren.

Alle drei Größen gemeinsam bilden die geschlechtsbezogene Performance einer Person, in welcher alle drei Faktoren gegenseitig beeinflussend aufeinander Bezug nehmen. Dies zeigt, wieviel Engführung es bedarf, um eine der Norm entsprechende Männlichkeit oder Weiblichkeit auszubilden oder vorzuweisen. Auch wird deutlich, wieviel nicht norm-entsprechende Nischen und Freiräume dem Individuum hier eingeräumt werden, gleichwohl diese immer in einem bestimmten Maße gesellschaftlich sanktioniert sind.

Dramatisiertes Geschlecht

L eider stellen sich die Lebenswelten von Jugendlichen trotz ihrer Vielfalt
in weiten Teilen nicht als inkonform mit den Ansprüchen der heterosexuellen Matrix dar. Zwar ist aktuelles „Jungesein" (Jantz) oder „Mädchensein"
(Wallner) glücklicherweise in vielen Fällen individuell gestaltbar und
viele Jungen und Mädchen nutzen die verschiedenen Möglichkeiten, ihre
Performance umfangreich an den eigenen Bedürfnissen und nicht an stereotypen Vorgaben auszurichten.

Gleichzeitig lastet nach wie vor auf vielen Jugendlichen der Druck, in
Zukunft „richtige" Männer oder „richtige" Frauen zu werden. Wenn auch
nicht mehr so offensichtlich, so ist die Lebenswelt vieler Jugendlicher doch
noch mit Bildern von eben diesem „Richtigsein" geprägt und sie sind weiterhin Adressat_innen von geschlechtsbezogenen Anforderungen, denen sie
sich mehr oder weniger gelingend entziehen können. Der Zwang, sich mit
ihnen auseinander zu setzen bleibt.

Die Lebenswelt von Jungen ist noch häufig beeinflusst von solchen
Anforderungen. In ihren verschiedenen Ausformungen zeigen sie nach wie
vor Ansprüche an Leistungsbereitschaft, Kampf und Konkurrenz, hierar-
chisierendes Verhalten in Gruppen sowie eine Wahrnehmung des eigenen
Körpers als vernutzbaren Automat und eine emotionsferne Kommunikation.

Dies kann im Alltag häufig als eine Auseinandersetzung um reale und
ideal-anerkannte Männlichkeit nachvollzogen werden. Dies wird einerseits
bedingt durch den Kontakt zu Männerwelten, Jungenkulturen und andere
vorhandene Sozialisationsfaktoren. Gleichzeitig fehlt hier häufig ein realist-
ischer, ressourcenorientierter Austausch zu dem, was Jungen eigentlich wollen und können. Während viele Jungen sich körper- und leistungsbezogenen
Anforderungen gelingend stellen, überschreiten andere in diesem Sinne die
Grenze hin zu gesundheitsschädigendem und gewaltförmigem Verhalten.

Die Lebenswelt von Mädchen ist dem entgegen häufig noch von einer ger-
ingeren öffentlichen Präsenz geprägt als die der Jungen und zeigt damit, dass
viele Frauen und Mädchen nach wie vor von einer historisch gewachsenen,
an moderne Verhältnisse angepassten, männlichen Hegemonie betroffen
sind. Frauenwelten sind weniger offen präsent, Jugendkulturen sind noch

überwiegend von Jungen dominiert und selbst defizitorientierte Diskurse um Jugend haben überwiegend delinquente oder schulabschlussgefährdete Jungen im Blick.

Mädchen sind Anforderungen von Fürsorglichkeit und wohlfeilem Sozialverhalten, Kommunikationsvermögen, Strebsamkeit, körperbezogenen Schönheitsidealen sowie Ruhe und Zurückhaltung ausgesetzt. Sie sind damit angehalten, sich um ihr soziales Umfeld zu kümmern, Kontakt auszubauen und zu halten, viel Wert auf ihre äußere Erscheinung zu legen und in Zukunft möglichst Mutterrolle und Berufstätigkeit gleichermaßen anzustreben. Traditionelle Anforderungen werden daher mit modernen Vorstellungen unabhängigen Frauseins konfrontiert, welche sich aus Diskursen der verschiedenen Phasen der Frauenbewegungen aber auch aus der Änderung gesellschaftlicher Zustände ableiten lassen. Mädchen sind dabei dem Druck ausgesetzt, traditionelle Werte und neue Freiheiten und Potentiale gleichermaßen in sich zu vereinen.

Auch für viele Mädchen kann festgehalten werden, dass sie sich positiv mit den Anforderungen auseinandersetzen. Bildungsbiographien und der Ausstritt aus der Ausschließlichkeit traditioneller Mutter- und Hausfrauenrollen zeigen Potentiale, weiblicher Deklassierung zu entgehen. Gleichzeitig sind Mädchen, welche sich für Beruf und Familie entscheiden weiterhin benachteiligt, da der Druck der Sorgearbeit von Männern nach wie vor noch weitgehend delegiert wird und Strukturen öffentlicher Kinderbetreuung usw. vielerorts noch nicht an den indivduellen Bedürfnissen von Familien bzw. Müttern orientiert sind. Eine Debatte, welche noch immer die allgegenwärtige Abwertung von carework aufzeigt.

Auch leiden viele Mädchen unter den vielfach medial vermittelten Anforderungen von Schönheitsidealen, wird das ungebrochene Kontakthalten via social media gemeinhin nicht als Ressource definiert.

Zwar sind bewusst queer lebendende Jugendliche in der Auseinandersetzung um die beschriebenen Anforderungen bereits Schritte gegangen, sich für die eigenen Bedürfnisse und Identitäten stark zu machen. Dies bedeutet nicht, dass hiermit ein Abschluss in der Auseinandersetzung stattgefunden hat und sie nicht weiterhin dem Druck ausgesetzt sind, sich an den vorgegebenen Normen auszurichten.

Genderreflektiertheit als Haltung

Alle Jugendlichen in ihrer Individualität wahrzunehmen, kann also nicht bedeuten, dass Geschlecht in der alltäglichen Praxis der Fachkräfte keine Rolle spielt, sondern muss heißen Gender als persönlichkeitsstrukturierenden Rahmen präsent zu haben und mit den Beteiligten in den Blick nehmen zu wollen.

Die Performance der Leiter_innen kann demnach als zugespitzte männliche oder weibliche Sozialisation oder bewusster Umgang mit eigenen Sozialisationserfahrungen im Sinne zuschreibungsarmer Rollenangebote erlebt werden. Beides bietet, wenn es bewusst inszeniert wird, Optionen, Geschlecht als gelingenden oder beeinträchtigenden Faktor in der Lebenswelt der Teilnehmenden zu thematisieren. Was immer die Gründe sein mögen, an einem erlebnispädagogischen Prozess teilzunehmen, es ist kaum wahrscheinlich, dass Gender für die individuelle Frage, die bearbeitet werden soll, keine Rolle spielt.

Aufgabe der Pädagog_innen ist es hier, genderbasierende Bedingungen besprechbar zu machen und Blickwinkel einzuüben, sich entlang der eigenen Ressourcen und Bedürfnisse mit Gender auseinander zu setzen. Dies eröffnet auch die Möglichkeit, dass sich von erfahrenen Erlebnispädagog_innen als paradox erlebte Situationen in ihrer Komplexität und Qualität für die Themen eines Prozesses neu erschließen.

So können bspw. die von Mädchen mit in die Natur überführten Schminkutensilien und Mobilfunkgeräte offenbar nicht nur für das Thema unnötiger Ballast stehen, von dem der Naturraum in der Auseinandersetzung mit eigenen Bedürfnissen befreien kann. Dieser „Ballast" ist vor allem gesellschaftlich aufgebürdet und kann zwar als solcher erlebt werden, muss dies aber nicht für Mädchen, die sich aktuell, wie gesellschaftlich von allen Frauen gefordet, dem Thema Orientierung an und Auseinandersetzung mit Schönheitsidealen und offensivem Beziehungsmanagement ausgesetzt sehen. Für diese Mädchen erschließen sich diese Gepäckstücke nicht als Ballast, sondern als Ressource, ihre Rolle als Mädchen und zukünftige Frau optimal auszufüllen. Der Transport der Utensilien kann darüber hinaus auch ein Reflex auf das jahrhundertelange Verknüpfen von Weiblichkeit und Natur

- und damit als Widerspruch zu Kultur und Männlichkeit - sein. Er kann damit als Ausdruck moderner weiblicher Identität gewertet werden, sich als Mädchen und Frauen von Natürlichkeitszuschreibungen (Lundt 1996, S. 114) und damit von Einordnungen als im Gegensatz zum Mann schlecht und daher zu beherrschend (Stahlman 1996, S. 53) zu lösen, gleichzeitig auch um den Preis, wieder an aktualisierten Idealen anzuknüpfen, hierbei aber zumindest selbstmächtig vorzugehen.

Stellen Pädagog_innen hier nicht die Frage, warum die meisten Mädchen und Frauen eben nichts weiter sein sollen, als schön, anziehend, sexy usw., gehen sie fehl in der Annahme, die Frage nach dem Gepäck ressourcenorientiert beantworten zu können und eine nachhaltige Lernchance zu offerieren, denn „[d]er Mann als Herrscher versagt der Frau die Ehre, sie zu individuieren. Die Einzelne ist gesellschaftlich Beispiel der Gattung, Vertreterin ihre Geschlechts und darum, als von der männlichen Logik ganz Erfaßte, steht sie für Natur, das Substratum nie endender Unterwerfung in der Wirklichkeit. Das Weib als vorgebliches Naturwesen ist Produkt der Geschichte, die es denaturiert (Horkheimer/ Adorno 1947, S. 134)".

Eine ebensolche Chance entgeht einem Prozess mit Jungen, in dem Delinquenz und Leistungsbezogenheit als individuelle Faktoren und nicht als Zutagetreten von Männlichkeitsausformungen in den Blick genommen werden. Reiben die Jungen sich selbst an der niedrigen Hierarchie zur männlichen oder weiblichen Leitung im Prozess, ist der Prozess darauf angelegt, endlich einmal selbst für sich Verantwortung zu übernehmen, dann treten Jungen als zukünftige Männer potentiell nur deutlicher zu Tage, setzen sich für ihre zukünftige Vormachtstellung ein und lernen vermeintlich nicht mehr, als wieder einmal klaglos allein für sich selbst da sein zu müssen.

Es fängt bereits damit an, dass traditionelle Rollenerwartungen bereits in Fortbildungsgruppen unter Erwachsenen unhinterfragt erfüllt werden, wenn männliche Teilnehmende um den größten zu schleppenden Baumstamm konkurrieren und weibliche Teilnehmende in ihrer Fürsorglichkeit ausschließlich sozial erwünschte Rückmeldungen geben. Weiblich sozialisierte Herabsetzung und Verneinung treffen wieder auf männlichen Drang zu Beherrschung (Bourdieu 2005, S. 90). Deutlichst fallen hier habituierte „Eigenheiten" und deren gesellschaftsstrukturierende wie ökonomische Brisanz in eins. Die folgend hieraus sind nicht individuelle Neigungen und

Freiheitsgrade sondern ökonomische Hierarchien und Zuweisungen in gesellschaftliche Produktions- und Reproduktionsbereiche (Bebel 1977, S. 211 f., S. 215). Gleichzeitig ist solch scheinbaren „Trivialitäten" nicht beizukommen, in einer einfachen Verkehrung der Anforderungen, wenn also Mädchen die Durchhalteparolen und fehlende Selbstsorge von männlichen Gruppenmitgliedern unreflektiert als Norm übernehmen und Jungen dazu „ermuntert" werden, den Mittagstisch zu dekorieren.

Egal wie unterschiedlich Prozesse angelegt sein mögen und wie vielfältig sie umgesetzt werden. Es ist wichtig, Teilnehmende als Jugendliche in der Auseinandersetzung mit genderspezifischen Anforderungen und damit auch als Jungen und Mädchen wahrzunehmen, um deuten zu können wieso sie so handeln, reflektieren, kommunizieren oder auf eine bestimmte Weise unter bzw. mit Jungen und Mädchen interagieren. Dabei hat es auch einen Einfluss auf die Teilnehmenden, inwiefern die Leitung aus wahrgenommenen Männern oder Frauen besteht und wie diese sich verhalten. Es kann einerseits einen Unterschied machen, ob ein Mann oder eine Frau bestimmte Fragen stellt oder Punkte thematisiert. Andererseits macht es grundlegend einen Unterschied, inwiefern Fachkräfte sich selbst als genderbezogene Person in den Blick genommen haben und bereit sind, sich hierbei zu reflektieren.

Jenseits der Kategorien

Natur als gewinnbringende Reflexionsräume zu nutzen bringt gewisse Voraussetzungen mit sich. Es gibt eine Vielzahl an Möglichkeiten, sich emotionengeleitet Erlebnissen hinzugeben und diese anschließend reflektierbar zu machen. Fußballstadien, Trinkhallen oder Beautyfarmen mögen hier je nach individuellen Vorlieben Situationen mit Erlebnischarakter produzieren. Gleichzeitig leben diese Räume von gesellschaftlich gemachten Strukturen und Kategorien und es fällt schwer, sich diesen genau hier in der Reflexion gegenüber zu stellen. Diese Kategorien müssen als menschengemacht identifiziert sein, egal ob es sich um ethnisch, geschlechtlich oder sozial begründete Ab- und Ausgrenzungen handelt. Gleichzeitig muss deutlich gemacht werden, dass deren Verschiebung in die Welt der Natur immer eine ideologische Form des Erhalts oder der Erringung von Herrschaft darstellt.

Die Erkenntnis, dass die Trennung von Natur und Kultur hinfällig ist, zeigt u.a. dass unser Verständis von Natur untrennbar verwoben ist mit dem, was wir jeweils und allgemein als Kultur verstehen. Nicht allein, dass Natur durch menschliche Einflüsse sich Kultur als dem Menschengeschaffenen nicht mehr entziehen kann, es ist auch der Diskurs um und damit die Beschreibung von Natur und Natürlichkeit, welche ihren Ausgang erst in der Kultur nimmt, die sich damit letztlich nachfolgend diskursiv ihre eigene Voraussetzung in Szene setzt.

Wenn Erlebnispädagogik Natur als Lernfeld nutzt, dann nicht, um in evolutionär-biologistischem Sinn auf Ursprung, Wahrheit und Natürlichkeit zu verweisen, sondern Natur als Raum zu denken. Als Rahmen der Möglichkeit als solcher, Kern der Vielfalt im Sinne der Auflösung von Kategoriedenken und weltanschauungswissenschaftlicher Rasterfahndung nach Rasse, Geschlecht und sozialem Status. Der in weiten Teilen nicht strukturierte Raum der Natur befähigt zu Transzendenzsituationen. Die Methoden der Erlebnispädagogik können Teilnehmende genau hier dazu bringen eigene Habitus zu entschleiern und das eigene Mittun an gesellschaftlichen Kategorisierungen zu erkennen. Es wird damit auch die Einsicht in die individuell nuancierte Genderperformance ermöglicht und deren Verwobenheiten mit den Identitäten und Lebensweisen in der persönlichen Umwelt sowie ihre Verschränkung mit anderen Kategorien. Die allseits beschriebene Binarität von Natur und Kultur die in ihrem Verweis auf Mann und Frau jegliche Identitäten dazwischen negiert, verstellt den Blick auf die bloße Option von Identitäten jenseits von Mann und Frau und damit auch jenseits heteronormativer Bezugszwänge, mit einer Vielheit sexueller Identitäten.

Auch die Abwertung nicht-heterosexueller Lebensweisen geht aus der Überzeugung hervor, Natur als Reproduktionszwang zu erfahren und den Schaffensgehalt anderer Naturvorgänge aus dem Blick zu lassen. Im Menschlichen wird dieses auch gesellschaftsschaffende Verhalten als Kultur betrachtet. Unsere Wahrnehmung von Natur kann sich unserer Herkunft als Kulturwesen nicht entziehen. Die pädagogische Nutzung der Natur ist Kulturschaffen. Dieses Kulturschaffen, was auch die Annahme der

Natürlichkeit von Geschlecht hervorbringen kann, gleichfalls nicht zwingend hervorbringen muss. Es ist wichtig, Brüche in der jeweiligen Sozialisation und damit im Kategoriengerüst der Gesellschaft in den Blick zu nehmen und Sichtbar zu machen, um auf die Vielfalt von Gender verweisen zu können.

Methode statt Style

E in Teil der Methoden der Erlebnispädagogik hat das Potential eigene Verhaltensweisen neu zu interpretieren, den eigenen Habitus als solchen erkennbar zu machen und damit auch die Reproduktion gesellschaftlicher Anforderungen in Augenschein zu nehmen.

Wenn Erlebnispädagogik aber durch einen Outdoorstyle der Angebote und Protagonist_innen geprägt wird, der bei Fachkräften ebenso wie in der öffentlichen Darstellung von Anbeoten zu beobachten ist, dann reproduziert sie nicht nur ökonomistische Fragmente gesellschaftlicher Diskurse und verweist damit automatisch auf die Unsichtbarkeit sozial Deklassierter, die sich diese Mode nicht finanzieren können. Dem Style wohnt, nicht allein durch die Strapazierfähigkeit des Materials, gleichzeitig der Verweis auf einen männlichen Habitus inne, der nicht dadurch aufgehoben wird, dass die Kataloge der Marken auch mit weiblichen Models aufwarten. Viel mehr zeigt dies einzig die zentrale Stellung männlicher Ideale als gesellschaftlichem Normativ und damit den nach wie vor existierenden Druck, sich an männliche Vorgaben anzunähern um als integriert und erfolgversprechend gelten zu können.

Dies bewusst zu hinterfragen bedeutet auch, weitere Ausschlussattribute kritisierbar zu machen, die als Ideal nicht allein männlich konnotiert sind, sondern abzielen auf den weißen, körperlich und psychisch fitten, sozial und finanziell gut gestellten, heterosexuellen Mann und damit verschiedene Aspekte diverser Abwertungsdiskurse um race, ableism, class und gender miteinander verschränken.

So wie Menschen nicht als Frau geboren werden, werden sie dies auch nicht als Erlebispädagog_innen. Doch während ersteres Ergebnis aus der individuellen Auseinandersetzung mit gesellschaftlichen Zuschreibungen und Unterdrückungsmechanismen ist, bei welcher die Wahlmöglichkeiten den machtausübenden Umständen entsprechend eng gehalten werden, lässt sich letzteres Erlernen. Pädagogische Fachlichkeit und erlebnispädagische Methodik beschreiben eine Professionalität, welche bewusst umgesetzt aufklärerisch im besten Sinne wirken kann.

Sie muss sich kritisch mit dem Ziel romantischer Naturerfahrung auseinandersetzen, da dies häufig im Sinne verklärender Welt- und Rückschauen genutzt wird. Natur bewahren zu wollen, heißt sie in ihrer nicht kategorialen Vielfalt zu schätzen, nicht als den Drang, Altes zu bewahren und maximal neu zu labeln. Emanzipatorische Erlebnispädagogik fördert allgemeine Bildung und damit „einen Zustand, der weder Kultur beschwört, ihren Rest konserviert, noch sie abschafft, sondern der selber hinaus ist über den Gegensatz von Bildung und Unbildung, von Kultur und Natur" (Adorno 1959, S. 120)

Dass es bereits heute mehrere Länder gibt, welche mehr als zwei Geschlechter anerkennen, zeigt wohin die Reise gehen kann. Neben der passenden Kleidung benötigen erlebnispädagogische Fachkräfte eine Kluft aus Wissen um Genderthemen, den Willen zur Selbstreflexion im Sinne einer gendersensiblen Haltung sowie die Fähigkeit, gendersensible Settings zu schaffen und entsprechende Methoden umzusetzen und „de[n] Wille[n], dass es besser werden soll, das Interesse an der Wirklichkeit (Horkheimer 1985, S. 211)".

Fazit

D er Prozess steht und fällt mit der Planung. So mag der erlebnispädagogische Weg zwar als Ziel erscheinen und ungefragt ist dem pädagogische Prozess hier ein deutliches Gewicht im Erleben und Reflektieren beizumessen. Gleichzeitig plädieren wir im Angesicht der oben angeführten Praxisbeispiele für die Ausgestaltung im Sinne von „das Ziel ist der Weg". Dem pädagogischen Prozess Raum einzuräumen kann u.E.n. nur fachlich sinnvoll sein, wenn über diesem Weg ein pädagogisch formuliertes Ziel steht. Denn nur „[s]o verstanden heißt Theorie nicht Verkündigung einer fertigen

Lehre, sondern fortschreitende Analyse, kritische Erkenntnis (Horkheimer 1985, S. 216)", entgeht aber damit gleichzeitig der Gefahr, generell jeden Prozess subjektiven Erfahrens als Bildung mißzuverstehen. Fragestellungen die es hier im Rahmen genderreflektierender Erlebnispädagogik zu berücksichtigen gilt, sind: „Welche genderbezogenen Anforderungen bedingen die Ausgangslage des_der Jugendlichen? Wie können wir dies gemeinsam sichtbar machen und welcher Inhalt zeigt neue Optionen für die jeweiligen Teilnehmenden auf?"

Wenngleich eine so konstituierte Pädagogik soziale Ungleichheiten nicht beseitigen kann, so ist sie doch in der Lage, Teilnehmenden den Blick auf individuelle Unfreiheiten und kategoriale Abhängigkeiten zu ermöglichen (Pohlkamp/ Busche 2009, S. 290) und damit zu motivieren den Kampf um die Autonomie der Subjekte und gegen gesellschaftliche Unfreiheiten aufzunehmen.

Quellen:

Adorno, Theodor W. (1959): Theorie der Halbbildung. IN: Soziologische Schriften I, Gesammelte Schriften 8.1, Frankfurt a.M.

Beauvoir, Simone de (1963): Das andere Geschlecht. Eine Deutung der Frau. Reinbek: Rowohlt.

Bebel, August (1977): Die Frau und der Sozialismus. Berlin, Bonn-Bad Godesberg: Dietz Verlag.

Bourdieu, Pierre (2005): Die männliche Herrschaft. Frankfurt am Main: Suhrkamp.

Butler, Judith (1991): Das Unbehagen der Geschlechter. Frankfurt am Main: Suhrkamp.

Butler, Judith (1997): Körper von Gewicht. Frankfurt am Main: Suhrkamp.

Connell, Raewyn (2006): Der gemachte Mann: Konstruktion und Krise von Männlichkeiten. Wiesbaden: VS Verlag für Sozialwissenschaften.

Fischer, Torsten/ Ziegenspeck, Jörg W. (2008): Erlebnispädagogik. Grundlagen des Erfahrungslernens. Erfahrungslernen in der Kontinuität der historischen Erziehungsbewegung. Bad Heilbrunn 2008 nach bildungs-wiki.de/index.php/Kurt_Hahn (31.03.2014)

Horkheimer, Max/ Adorno, Theodor W. (1947): Dialektik der Aufklärung. Amsterdam:Querido Verlag.

Horkheimer, Max (1985): Der Bildungsauftrag der Gewerkschaften. IN: Gesammelte Schriften, Bd. 8, Frankfurt a.M.

Jantz, Olaf

Lundt, Bea (1996): Berta mit den großen Füßen. IN: Eifert Christian u.a. (Hg.): Was sind Männer? Was sind Frauen? Geschlechterkonstruktionen im historischen Wandel. Frankfurt a.M.: Suhrkamp.

Pohlkamp, Ines/ Busche, Mart (2009): Gendertrainings als Praxis der politischen Bildung. Ein Beitrag zu mehr (Geschlechter-)Emanzipation?! IN: Mende, Janne/ Müller, Stefan: Emanzipation in der politischen Bildung. Theorien – Konzepte – Möglichkeiten. Schwalbach/ Ts.: Wochenschau-Verlag.

Rousseau, Jean-Jacques (2004): Emile oder Über die Erziehung. Stuttgart: Reclam.

Schott, Thomas (2003): Kritik der Erlebnispädagogik. Würzburg: Ergon Verlag.

Stahlmann, Ines (1996): Jenseits der Weiblichkeit. IN: Eifert Christian u.a. (Hg.): Was sind Männer? Was sind Frauen? Geschlechterkonstruktionen im historischen Wandel. Frankfurt a.M.: Suhrkamp.

Wallner, Claudia

Weggefährte/in auf einer langen und gefährlichen Reise

Reto Bühler

Vom Innen ins Außen, vom persönlichen Wachstum zum verantwortungsbewussten Handeln führt ein unsicherer Weg mit vielen Gefahren. Er geht über Berge, durch Täler und an manchen Abgründen vorbei. Risiken gibt es viele, Sicherheiten keine. Die Ankunft ist ungewiss.

Der Oktopus, eine Kreativtechnik aus der Systemischen Erlebnispädagogik, unterstützt uns in der Begleitung auf diesem abenteuerlichen Weg.

Das Thema Sicherheit ist heute in aller Munde. In der Begleitung von Menschen suche ich nicht die Sicherheit, ich suche das Leben. Leben erhalten heißt für mich, Leib und Leben zu bewahren und Lebendigkeit zu ermöglichen. Ein Sicherheitskonzept ist somit etwas Lebendiges. Es ist eine Gratwanderung zwischen halten und loslassen.

Bezüglich der Methode des Oktopus verweise ich auf das „Lexikon Erlebnispädagogik" des Ziel-Verlags.

Weiter mache ich aufmerksam auf das unentgeltliche Online Magazin zum Thema „Sicherheit". Siehe Link auf der Startseite von www.planoalto.ch: http://planoalto.ch/fileadmin/magazin/HumanNature_Sicherheit/index. htm

Visionssuche und Naturmantik bei den Griechen und Römern, München 2004. Zur útiseta der Germanen vgl. Golther, W.: Hand-buch der germanischen Mythologie, (Nachdr. d. Ausg. v. 1895), Es-sen 1995, S. 644 f. u. 648 f. Zur keltischen Praxis vgl.: Das Sagen buch der walisischen Kelten (Die vier Zweige des Mabinogi), hg., übers. u. kommentiert v. B. Maier, München 1999, S. 16 f. und S. 124 (Kommentar).

ZULETZT

Kontakt:
AGJF Sachsen   Neefestr. 82   www.agjf-sachsen.de
                  09119 Chemnitz   info@agjf-sachsen.de

Förderung durch:
Sächsisches Staatsministerium für Soziales und Verbraucherschutz
Kinder- und Jugendplan des Bundes

Redaktionsschluss: 20.12.2013   **Auflagenhöhe:** 110

Hinweis in eigener Sache:
*Die enthaltenen Informationen wurden von den Autor/innen nach bestem Wissen
sorgfältig zusammengestellt. Eine Gewährleistung für die Vollständigkeit,
Richtigkeit und Aktualität kann aber von der Herausgeberin und den Autor/
innen nicht übernommen werden. Die Herausgeberin übernimmt keine Gewähr
für die Korrektheit und Qualität der bereitgestellten Beiträge der Autor/innen.
Die Informationen sind rechtlich unverbindlich. Eine Haftung für Schäden
Dritter ist ausgeschlossen.*

Bezug: BoD – Books on Demand, Norderstedt, www.bod.de

.

Lightning Source UK Ltd.
Milton Keynes UK
UKHW040646270720
367241UK00001B/259